James et Oliver Tickell

Cuzco, Pérou

Photographies par Francesco Venturi

CELIV

Cusco, quien te vio ayer
Y te ve ahora
Como no llora
?

Ô Cuzco
Celui qui t'a vu hier
Et te voit maintenant
Comment pourrait-il ne pas pleurer?

Maestro Gil Gonzalez Dávila, 31 mars 1650

Ce livre est dedié aux gens des Andes

Première édition publiée en langue anglaise par
Tauris Parke Books associé avec Kea Publishing Services Ltd., Londres

© 1989 James et Oliver Tickell pour le texte
© 1989 Francesco Venturi pour les photographies

Pour l'édition française © 1991 CELIV, Paris

Sommaire

*Les auteurs tiennent à remercier tous ceux qui les ont aidés
à réaliser ce livre, notamment:
Francesca Bristol, Roger de Bellegarde,
Foptur, Antonio Aguilar Argandona et La Manita Travel.*

Introduction

Lorsque le dirigeant suprême, l'Inca Huayna Capac, meurt en 1528, ses sujets le pleurent comme un dieu. Il règne alors sur des dizaines de millions d'âmes, et sur un empire qui longe sur quatre mille huit cents kilomètres la côte pacifique et la cordillère des Andes. La capitale politique et religieuse en est Cuzco, le «nombril» du monde inca, véritable collection de temples, de jardins et de palais, nichée dans la montagne.

Plus au nord, en Amérique centrale, les Empires aztèque et maya étaient déjà tombés aux mains des envahisseurs espagnols. Poussés par leur soif de conquêtes, ceux-ci exploraient la côte sud-américaine, s'enquérant de la puissance et de la richesse des Incas. Tout cela, Hyaina Capac l'ignorait: seules quelques rumeurs faisaient état de bateaux à voiles remplis d'étrangers à la peau blanche. Il ne sut pas non plus que sa mort prématurée, due à une mystérieuse maladie, était une conséquence directe de l'arrivée des conquistadors sur le continent: avec eux, des fléaux nouveaux, comme la variole, allaient non seulement emporter le Fils du Soleil, mais décimer des populations entières.

Au moment des funérailles de leur souverain à Cuzco, les Incas étaient incapables d'imaginer les calamités à venir. Le Tahuantinsuyu, «les quatre quartiers du monde», s'était tenu à l'écart des autres civilisations et ne connaissait pas de puissance qui puisse se mesurer à lui. Pourtant, moins de dix ans après la mort de Huayna Capac, sa capitale était en ruines, ses guerriers avaient été massacrés par milliers et le Tahuantinsuyu n'était plus. Le roi d'Espagne, Charles Quint, lui succéda sur le trône. Soucieux avant tout de conquérir l'hégémonie de l'Europe, il voyait principalement dans ses nouvelles possessions américaines une réserve de lingots d'or et d'argent pour financer ses expéditions militaires.

Les colonisateurs espagnols ruinèrent cet empire fondé su un ordre apparemment immuable: ils lui imposèrent leur propre religion et leurs propres coutumes. Mais, en même temps qu'ils détruisaient la plupart du passé, ils bâtissaient le Cuzco que nous admirons aujourd'hui. C'est pourquoi la Conquête constitue l'événement capital auquel nous nous

CARTE DE LA REGION DE CUZCO

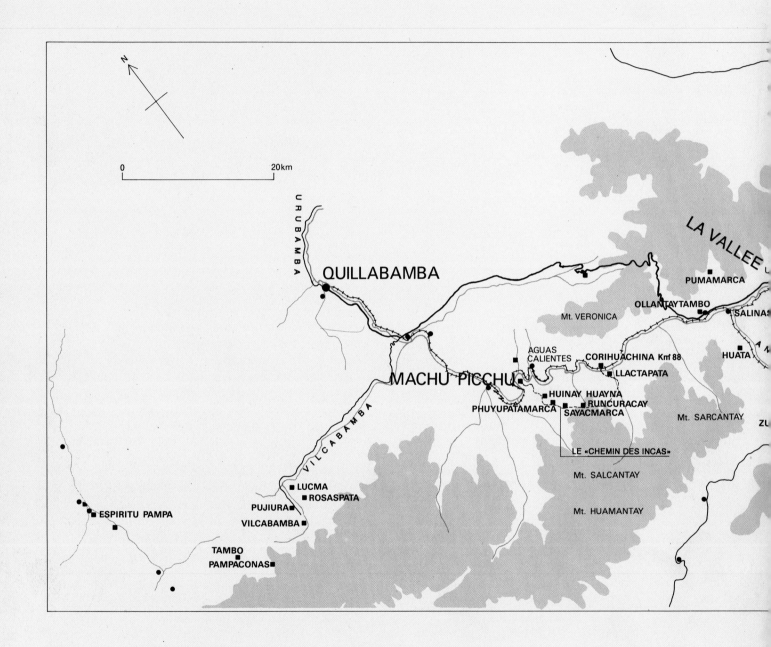

Le lecteur trouvera sur cette carte les lieux
dont il est fait mention dans le texte, ainsi qu'un
certain nombre de sites, moins faciles d'accès,
que nous ne décrivons pas. La Raya, où le Vilcanota
prend sa source, se situe à une trentaine
de kilomètres de Raqchi (à droite de la carte).
Les courbes de niveaux sont approximatives,
et plusieurs détails topographiques ont été
délibérément omis par souci de simplicité.

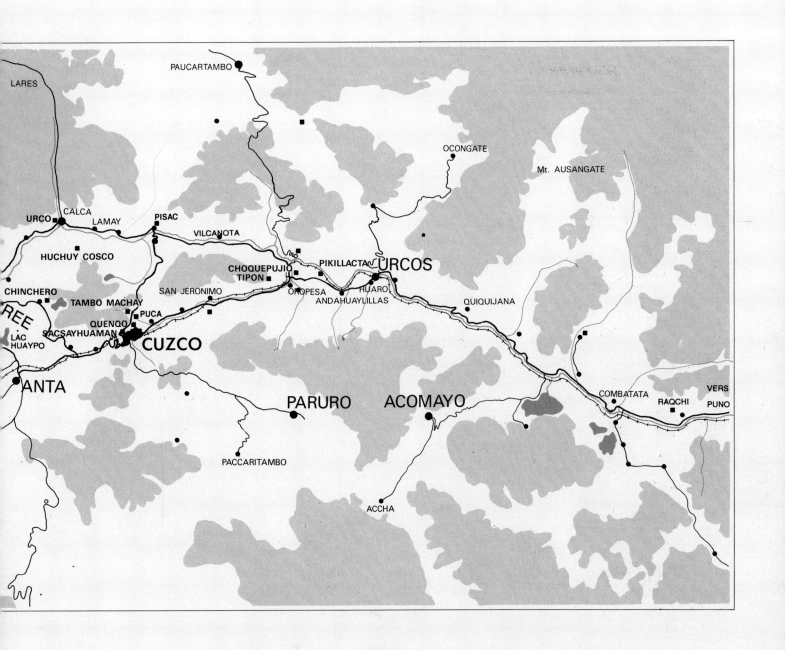

LARES

PAUCARTAMBO

OCONGATE

Mt. AUSANGATE

URCO CALCA LAMAY
PISAC
VILCANOTA

HUCHUY COSCO

CHOQUEPUJIO
TIPON
PIKILLACTA URCOS

CHINCHERO
TAMBO MACHAY
SAN JERONIMO
OROPESA HUARO
ANDAHUAYLILLAS
QUIQUIJANA

PUCA
QUENQO
RÉE
LAC SACSAYHUAMAN
HUAYPO CUZCO

ANTA
PARURO ACOMAYO
COMBATATA RAQCHI
VERS
PUNO

PACCARITAMBO

ACCHA

Pages suivantes

*Cuzco: la rue Loreto, vue depuis la place d'Armes.
Cette rue donne un bon aperçu de ce que Cuzco
devait être du temps des Incas. La Compañia, église
des Jésuites, englobe les anciens murs du palais
de Huayna Capac que l'on voit à droite.
Sur la gauche, le mur de l'ancienne Maison
des Vierges du Soleil (l'acclahuasi), occupée,
fort à propos, par le couvent de Santa Catalina.*

Page ci-contre, en haut: Cuzco, la place d'Armes, cœur de la cité
dès sa fondation. La façade de l'église est celle de la Compañia,
une des églises baroques les plus décorées de la ville.

Ci-contre, en bas: la Vallée sacrée, quelques-unes des rares terrasses
de cultures inca qui aient survécu, en contrebas des ruines de Pisac.

Ci-dessus: la Vallée sacrée, vue des abords de Maras.
Avant la colonisation espagnole, les collines, aujourd'hui dénudées,
étaient couvertes de terrasses de cultures et de forêts.

référons au fil des pages, même si nous n'en faisons pas le récit détaillé. D'autres, notamment John Hemming dans sa *Conquête des Incas*, en ont écrit d'excellents; essayer de les résumer ne rimerait à rien. Toutefois, le lecteur trouvera (page 125) une liste de livres et de guides qui pourront lui être utiles, et (page 123), un abrégé chronologique de l'histoire du Pérou, de la préhistoire à nos jours. Le propos de ce livre est plutôt de donner une vue d'ensemble du passé de Cuzco et du Tahuantinsuyu, où deux mondes totalement différents devaient s'affronter; mais aussi d'évoquer tels qu'ils furent les lieux essentiels de la capitale et des alentours, et de les décrire tels que nous les découvrons aujourd'hui.

Cuzco, la ville sainte du Tahuantinsuyu, est aujourd'hui le chef-lieu d'un département du même nom, dont la superficie est environ celle du Massif central. Sur la carte (pages 6 et 7), figurent la plus grande partie du département, ainsi que les lieux mentionnés dans le texte. Au centre de cette région, la métropole a été bâtie dans la fertile vallée de la rivière Huatanay, au milieu d'un amphithéâtre de montagnes qui la surplombent de trois côtés. Le chapitre I est consacré à la cité incaïque ensevelie sous la ville coloniale, et aux sites des environs immédiats.

Au sud-est de Cuzco, dans l'ancienne province du Collasuyu, se profile une barrière montagneuse très accidentée, qui culmine au pic et aux glaciers de l'Ausangate (6096 mètres). Plus au sud, après le col de La Raya (4267 mètres), les montagnes et les vallées cèdent la place à un haut plateau désolé, l'*altiplano*: il enjambe la frontière avec la province de Puno, atteint le lac Titicaca (berceau légendaire du premier Inca, Manco Capac), puis s'étend jusqu'en Bolivie. Au nord-est, dans la région de l'Antisuyu, des montagnes escarpées dévalent en précipices jusqu'à la cuvette amazonienne, pratiquement vierge à l'arrivée des Espagnols.

A Rumicolca, juste au sud de Cuzco, la rivière Huatanay se jette dans le Vilcanota, principal cours d'eau de la province. Le Vilcanota prend sa source près de La Raya, puis serpente, du sud au nord, traversant la Vallée sacrée et longeant les ruines incaïques de Pisac et d'Ollantaytambo. Le chapitre II suit le cours de la rivière, depuis sa source jusqu'à Ollantaytambo, et décrit au passage plusieurs sites précolombiens, parmi les plus intéressants et les plus faciles d'accès. Après Ollantaytambo, la rivière devient torrent et s'engouffre en rugissant dans les ravins boisés en contrebas de Machu Picchu, l'antique «cité perdue». Plus loin, en pleine jungle, elle se jette dans l'Amazone, et se perd finalement dans le lointain océan Atlantique.

A plusieurs journées de route de Machu Picchu, en direction de l'ouest, les ruines de Vilcabamba s'étendent derrière une chaîne de montagnes. Manco Inca et ses descendants y avaient construit une citadelle, depuis laquelle ils résistèrent à la domination espagnole. Leur empire ne tomba qu'en 1572, bien après le début de la Conquête. Le chapitre III raconte l'histoire de cette cité et la découverte de ses ruines.

La civilisation inca est l'objet des trois premiers chapitres; le chapitre IV est consacré aux Espagnols et à la société qu'ils bâtirent, après l'extraordinaire exploit militaire que représentait la Conquête. Cette tâche incomba à une poignée d'aventuriers, quelques centaines, commandés par le capitaine Francisco Pizarro. S'ils réussirent dans leur entreprise, ce fut à cause d'un courage certain, mais aussi parce qu'ils n'avaient rien à perdre. D'autres éléments, quoique mineurs, jouèrent également en leur faveur: les maladies jusque là inconnues et la violence des luttes intestines démoralisaient les Indiens et affaiblissaient leur résistance; les Espagnols disposaient de surcroît d'un armement bien plus efficace. Mais le facteur décisif fut l'incapacité des Incas à saisir la réalité; quand ils comprirent le danger, il était trop tard.

Machu Picchu, travaux de restauration.
Ici, de même qu'à Ollantaytambo, les archéologues
ont reconstitué des sites que les Incas
auraient du mal à reconnaître.

Une maison à Ollantaytambo. La partie supérieure
en pisé repose sur des fondations inca. On peut voir
sur la pente, en haut à gauche, un entrepôt inca.
Ces entrepôts, jadis éparpillés par centaines
dans la campagne, servaient
à emmagasiner des provisions
pour les périodes de sécheresse et de famine.

*La cité de Machu Picchu, vue
du pic Huayna Picchu, au nord du site.
Déjà abandonnée à l'époque
de la Conquête, la «ville perdue»,
inconnue des Espagnols,
ne fut découverte
que quatre siècles plus tard.*

Certains accueillirent même les nouveaux maîtres comme des libérateurs. Ils devaient bientôt découvrir que la tutelle des Espagnols était bien plus dure que celle de l'Inca. Sans exagérer les aspects négatifs de la colonisation, ni oublier les individus, estimables mais rares, qui luttèrent pour les droits des indigènes, il faut bien admettre que la Conquête fut pour les habitants du Tahuantinsuyu le début d'un cauchemar, de longues années d'exploitation et d'oppression.

A l'époque des Incas, Cuzco était le centre religieux du pays. Tout comme un musulman à La Mecque, chaque sujet de l'empereur brûlait de s'y rendre en pèlerinage, au moins une fois dans sa vie. Aujourd'hui, ce n'est plus la religion, mais le tourisme qui amène à Cuzco des pèlerins venus des quatre coins du monde. La plupart arrivent en avion, et, à première vue, la ville leur semble une mer de tuiles rouges, de dômes et de tours, qui lui donnent un air italien. Mais le voyageur plus attentif ne manquera pas de voir les huttes en pisé ou en tôle ondulée qui, loin du centre, couvrent les pentes et les champs dans la vallée. Leurs habitants descendent des collines, contraints par la faim à abandonner la terre. Les causes de la misère paysanne sont nombreuses: rudesse du climat (inondations, grêle, gel, sécheresse), érosion croissante du sol, élevage trop intensif et morcellement extrême des exploitations. Les Incas avaient élaboré un système agraire efficace; ils constituaient des réserves de nourriture en prévision des disettes. Les Espagnols démantelèrent toute leur organisation; dès lors, le paysan andin survécut, et survit encore, au seuil de la famine.

Cuzco est un «empilage» de plusieurs cités. Tout en dessous, errent les fantômes du Tahuantinsuyu. Même d'avion, il est difficile de se représenter la ville que les Incas conçurent en forme de puma. A l'intérieur, il ne reste que quelques fragments de temples et de palais; pourtant, le passé surgit partout: bien des rues suivent le même tracé et portent le même nom qu'il y a cinq siècles; les fondations et les murs de soutènement des églises, des hôtels particuliers, voire des humbles demeures ou des boutiques, sont des constructions à joints vifs, typiques de la maçonnerie inca; sur les pierres des bâtisses coloniales, arrachées aux monuments incaïques, se lit encore leur utilisation originelle.

Nous savons finalement très peu de choses sur les Incas, alors même que nous sentons leur présence à chaque pas. Le Pérou préhispanique ignorait l'écriture; nos connaissances proviennent donc des chroniques espagnoles postérieures à la Conquête (souvent partiales), et des découvertes archéologiques. Plusieurs théories on été échafaudées: certaines relèvent de la soucoupe volante ou des extra-terrestres, d'autres s'appuient sur des preuves plus concrètes; mais elles ont toutes recours à une bonne dose d'imagination. La meilleure façon de rêver, c'est sans doute de monter à Sacsayhuaman, d'où on domine Cuzco, et là, à la faveur du crépuscule, d'évoquer le puma dont la tête et le corps dessinaient le centre du Tahuantinsuyu.

Après la Conquête, Cuzco cessa d'être le cœur de toute une civilisation, pour devenir un des principaux foyers des arts décoratifs et sacrés. Seuls des tremblements de terre et des révoltes indigènes sporadiques parvenaient à le tirer de son «long sommeil». Mais en 1911, l'archéologue américain Hiram Bingham découvrait Machu Picchu, et cet événement capital fit de Cuzco le centre archéologique et touristique du Pérou qu'il est aujourd'hui.

Bien des visiteurs, mais nous ne leur en tenons pas rigueur, repartent de Cuzco au bout de trois jours après le périple classique: les églises de la grand-place, Sacsayhuaman, les principaux sites de la Vallée sacrée et Machu Picchu. Pourtant, il faudrait des semaines pour rendre hommage

*Huaro, petit village au sud de Cuzco: peintures murales de l'église, exécutées,
à la fin du XVIIIe siècle, par un artiste indigène dans l'atelier d'un maître espagnol.
La Mort figure souvent dans les peintures murales; ici, représentée par un squelette,
elle abat l'arbre de vie, aidée par un diable qui tire les branches avec une corde. Sous l'arbre,
Jésus frappe une cloche pour appeler les pécheurs à se repentir avant qu'il ne soit trop tard.*

aux musées, églises et vestiges inca, à proximité du centre. Et dans le département, sur les collines et dans les vallées, des terrasses de cultures, des canaux d'irrigation témoignent un peu partout des civilisations préhispaniques; l'église du moindre village peut recéler des tapisseries ou des peintures murales de l'école de Cuzco, ignorées et pourtant merveilleuses. Ces trésors sont presque tous accessibles aux amateurs prêts à quitter tant soit peu les sentiers battus.

Dans des régions plus reculées, des ruines de cités plus grandes que Machu Picchu ont été mises en évidence par des photos prises depuis des satellites. Mais, en l'absence de moyens financiers pour entreprendre des fouilles, elles resteront encore longtemps des mystères. Toute la campagne est quadrillée par les routes empierrées des Incas; là encore, seuls les satellites révèlent toute l'étendue de ce réseau qui couvrait plusieurs milliers de kilomètres et reliait les principaux centres du Tahuantinsuyu. On a malgré tout du mal à apprécier la puissance de cet empire; comme l'écrivait Sir Clements Markham au début de ce siècle: «Il fut détruit par les conquérants espagnols et restera sans pareil. Quelques-uns de ces démolisseurs, très peu en vérité, étaient à même d'apprécier la beauté, l'équilibre de l'édifice qu'ils avaient mis à bas, et sa parfaite harmonie avec l'environnement. Mais aucun n'était capable de le rebâtir [...] et cette construction inégalée disparut à jamais.»

CUZCO: LE CENTRE DE LA VILLE

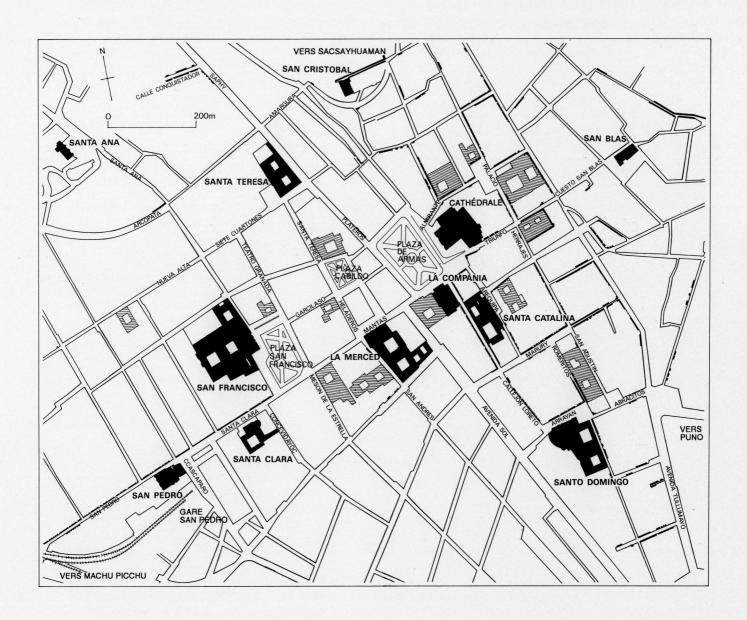

Le centre historique de Cuzco: ses principales rues et curiosités touristiques.
Les traits en gras indiquent la présence de maçonnerie inca.

Le Tahuantinsuyu

En pénétrant dans Cuzco, les Espagnols découvrirent la plus grande ville que le continent sud-américain ait jamais connue. Elle comptait à peu près cent vingt-cinq mille habitants, chiffre qu'elle n'atteindra à nouveau que dans les années 1970. Environ seize mille d'entre eux habitaient autour de la Huacaypata, aujourd'hui la place d'Armes, esplanade où se déroulaient les fêtes religieuses et, peut-être, les revues militaires. Ces privilégiés étaient la famille de l'Inca, les membres des clans nobles, les prêtres et les gardiens des temples, et leur domesticité. Les gens de condition plus modeste, cinquante mille environ, vivaient dans des quartiers périphériques. Enfin, dans des faubourgs séparés de la ville par des champs, était reléguée une population plus instable, qui venait des quatre provinces de l'empire. Sur une colline qui surplombe Cuzco au nord-ouest, Sacsayhuaman profilait ses trois tours sur l'horizon. Cette forteresse gigantesque, une ville pour ainsi dire, servait aussi de temple.

L'empire des Incas en tant que tel avait alors moins d'un siècle, mais leur présence à Cuzco remontait à l'an 1000 apr. J.-C., date à laquelle leur chef Manco Capac semble avoir fondé la ville. Ce que nous savons des origines de ce peuple repose uniquement sur les légendes indiennes, rapportées par les chroniqueurs espagnols. Leurs récits diffèrent parfois: ainsi Manco Capac et son épouse-sœur sortent tantôt des eaux du lac Titicaca, tantôt d'une grotte creusée dans une colline près de Paccaritambo, au sud-est de Cuzco. Toutefois ils s'accordent sur quelques faits essentiels: par exemple que Manco Capac établit sa domination en tuant plusieurs de ses frères et en épousant sa sœur dans la foulée. Sous sa conduite, les Incas se dirigèrent alors vers le nord et, après plusieurs

La Casa de las Sierpes: détail du mur. Pour les Incas, le serpent symbolisait
le savoir et l'intelligence. Ce motif rappelle la fonction originelle de la «Maison du savoir»,
école où étaient éduqués les fils de l'empereur du Soleil et des nobles.

années, atteignirent la vallée de Cuzco. Là, Manco Capac enfonça une verge d'or dans le sol; celle-ci y disparut; ce fut pour lui le signe que cette terre fertile serait la patrie des Incas. Il y bâtit un palais dont il fit plus tard le principal temple dédié au Soleil: le Coricancha, «l'Enclos d'or». La croyance populaire lui attribue un autre palais à Colcampata, au-dessous de Sacsayhuaman.

Sur les règnes des quatre premiers successeurs de Manco Capac, nous sommes encore moins bien renseignés. Ils améliorèrent sans doute les structures religieuse, administrative et agraire, qui devaient faire la force des Incas. Il est vraisemblable qu'ils entrèrent en conflit avec les tribus voisines et prirent contact avec leurs rivaux, les royaumes plus puissants qui existaient dans la région. En tout cas, ils ne se lancèrent pas dans de grandes conquêtes, et demeurèrent une petite tribu prospère dont le territoire, dans la vallée de Cuzco, ne dépaissait pas quatre-vingt kilomètres.

Chose curieuse, les mythes que les Incas forgèrent sur leurs origines ne font jamais intervenir de peuples et de civilisations antérieurs. Cela s'explique, en partie, par une reconstruction délibérée de l'histoire, visant à légitimer leur pouvoir et à renforcer les liens entre l'Etat et la religion. Mais il est probable que leur ignorance était en grande partie réelle. Pourtant, dans la région même, deux grands empires les avaient précédés: l'un à Tiwanaku, ou Tiahuanaco (actuellement en Bolivie), près du lac Titicaca; l'autre, postérieur, à Wari, près d'Ayacucho. Cuzco avait successivement fait partie de l'un et de l'autre. Ce que nous savons des civilisations pré-incaïques, très anciennes et très avancées, repose entièrement sur les découvertes archéologiques. Mais les vestiges en sont impressionnants: tissages délicats et raffinés de Paracas, céramiques élaborées de Moche, gigantesques monolithes gravés de Tiwanaku... C'est dans ce contexte régional qu'il nous faut replacer l'histoire des Incas.

Comme le montre leur développement ultérieur, ceux-ci ne s'illustrèrent pas tellement par leurs créations, mais par leur grande faculté à adapter les traditions, et par leurs talents de militaires et d'administrateurs.

Sous le règne du sixième Inca, Inca Roca, se constitua un état très militarisé et basé sur une discipline stricte. Les *ayllu*, clans formées par la lignée royale et par les nobles, furent hiérarchisés, et se répartirent entre le Hunan Cuzco (les «beaux quartiers») et le Hurin Cuzco (la basse ville). On porte généralement à son crédit une véritable politique d'urbanisation: il assécha les zones marécageuses et canalisa les rivières Huatanay et Rodadero, ce qui permit l'irrigation de la vallée.

Si Inca Roca étendit le royaume, Viracocha, le huitième Inca, fut le premier à entreprendre l'assimilation des tribus vaincues. Il les soumit à l'autorité de fonctionnaires, appuyés par des garnisons, et leur imposa de parler le quichua, déjà en usage dans presque tout l'empire. La pénétration inca se poursuivit lentement, jusqu'à ce que, profitant de guerres tribales, Viracocha s'emparât d'une vaste région autour du lac Titicaca. Mais, peu après, les Incas durent affronter les Chanca, tribu guerrière rivale dont le territoire s'étendait à l'ouest de Cuzco. Voyant que l'âge affaiblissait le souverain, ceux-ci marchèrent sur la capitale, avec une armée si puissante que la plupart des nobles se retranchèrent dans une forteresse près de Pisac.

Cependant, deux des fils de Viracocha et une poignée de sujets intrépides poursuivirent le combat jusque dans les fossés de la ville assiégée, et, sous le commandement efficace de Cusi Yupanqui, le plus jeune des fils, ils vinrent à bout des Chanca malgré leur supériorité numérique. Ceux-ci battirent en retraite dans une vallée voisine, où ils préparèrent

*En haut: Colcampata, détail du mur incaïque, près de l'église de San Cristóbal,
daté du règne de Manco Capac; sa maçonnerie de facture grossière prouve qu'il est
d'une époque plus tardive.*

*En bas: palais d'Inca Roca, détails des blocs polygonaux du mur. Situé à deux pâtés
de maisons de la place d'Armes, au nord-est, ce palais devint l'Archevêché,
puis l'actuel Musée d'Art sacré. Le bloc sur la photo de gauche est le fameux
Hatunrumiyoc («la Grande pierre») qui a donné son nom à la rue; il a douze côtés.
Le bloc de droite, dont les facettes sont moins découpées, en a pourtant quatorze.
Parfaitement encastrés dans le mur, sans aucun interstice, ils représentent tous
deux un véritable exploit technique. Aux alentours de Cuzco, on peut voir des blocs
polygonaux de trente côtés ou plus; mais ceux-ci se signalent par leur perfection.*

une contre-attaque. Sans attendre, Cusi Yupanqui se porta à leur rencontre, écrasa l'armée ennemie, et tua son chef en combat singulier. Il annexa bientôt leurs terres à un empire en pleine expansion. En 1438, il s'empara du pouvoir, malgré la volonté de son père, mais fort d'un large soutien populaire, et régna dès lors sous le nom de Pachacutec.

La politique de Pachacutec fut un expansionnisme débridé. Le territoire des Incas s'étendait déjà sur des centaines de kilomètres au sud-est de Cuzco; mais, à moins d'une journée de marche de la capitale, des tribus, dont certaines étaient des rivales de longue date, restaient indépendantes. Elles furent les premières cibles de Pachacutec. Puis il occupa les régions montagneuses autour de Cuzco, et enfin les terres autour du lac Titicaca. Autant que possible, il essayait de persuader les populations de se soumettre de leur plein gré à son autorité; beaucoup acceptèrent. Conquêtes et annexions ne cessaient de reculer les bornes de l'empire; Pachacutec lui donna le nom de Tahuantinsuyu: «le Pays des quatre provinces».

De même que la conquête espagnole devait être facilitée par l'infrastructure impressionnante du Tahuantinsuyu, l'expansion des Incas ne fut possible que parce qu'ils assimilaient des royaumes déjà constitués, dont ils évitèrent de bouleverser l'organisation administrative, religieuse et agraire. Il semble que les Incas ne se soient imposés qu'en bordure de l'Amazonie (l'Antisuyu), où ils se procuraient de précieuses denrées (plantes médicinales comme la coca, bois, fruits exotiques et or), et que seules les tribus amazoniennes restèrent, pour la plupart, libres.

Les expéditions militaires prirent une telle ampleur que les Incas durent enrôler des vaincus pour grossir leur armée, dont la loyauté ne fut plus

En haut, à gauche: l'enceinte du Coricancha («l'Enclos d'or»), le principal temple consacré au Soleil. Construit sous le règne de Pachacutec, ce mur est le fleuron de la maçonnerie à blocs rectangulaires et assises horizontales. Sa forme circulaire est elle-même une rareté. Sur ces fondations, a été érigée l'église de Santo Domingo; les motifs géométriques des boiseries du balcon dénotent une influence mauresque.

En haut, à droite: Cuzco, exemples de maçonnerie incaïque, vraisemblablement postérieure à la Conquête. On a parfois du mal à dater les vestiges; toutefois, l'utilisation du mortier et le fait que les murs soient verticaux, au lieu d'être légèrement inclinés, laissent à penser qu'il s'agit de constructions tardives. On peut l'affirmer pour le mur de la Casa de las Sierpes (place Nazarenas), à droite de la photo. Les spécialistes hésitent sur celui de gauche; mais les Incas n'avaient guère l'habitude de graver sur les murs des motifs en relief.

En bas, à gauche: 339, rue Choquechaca. L'entrée, datant certainement des Incas, fait maintenant partie d'une maison de maître coloniale. La présence de doubles jambages indique qu'elle donnait accès à un lieu sacré entre tous; on ignore lequel.

En bas, à droite: les murs de l'Acclahausi (rue Loreto), détail d'un angle. La «maison des Vierges du Soleil» abritait de belles jeunes femmes choisies à travers tout l'empire pour devenir prêtresses ou épouses royales. En 1950, un tremblement de terre détruisit une bonne partie du bâtiment colonial édifié sur ce site, mettant à jour des murs inca; beaucoup sont certainement encore enfouis.

24

Plan du Cuzco inca

*Plan du Cuzco à l'époque des Incas sur lequel est tracée
la silhouette du grand puma et qui montre la séparation
entre Hunan et Hurin Cuzco.*

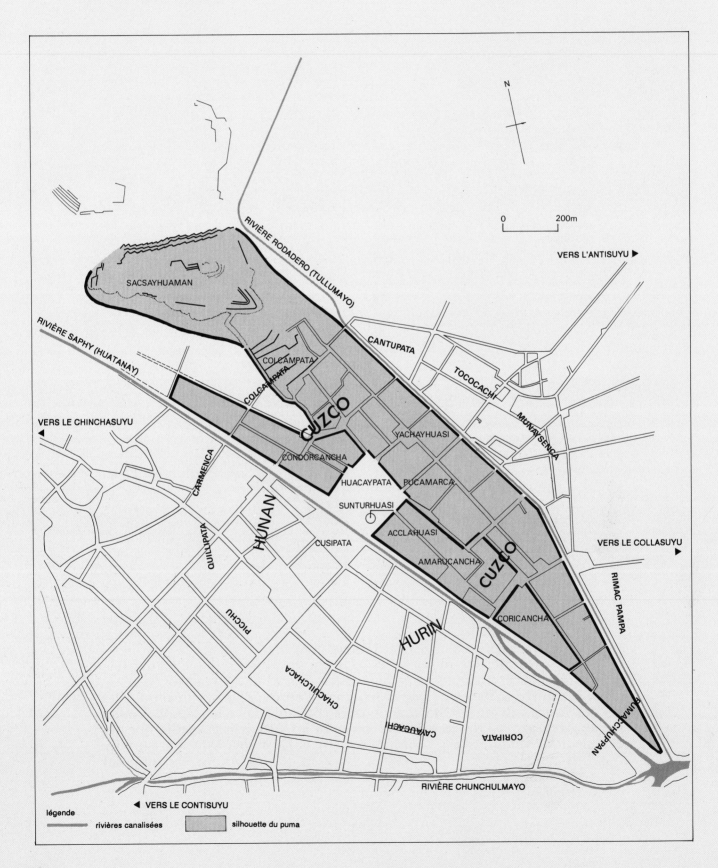

légende

rivières canalisées   silhouette du puma

assurée. Pour prévenir tout soulèvement de troupes ou de peuples récemment soumis, Pachacutec installait des *mitimae*, c'est à dire des colonies de sujets fidèles, dans les nouveaux territoires pour mieux les contrôler, et déportait les populations autochtones vers des contrées éloignées. Dans l'ensemble, ces pratiques se révélèrent efficaces; mais, plus que tout, la rigueur des lois et un système d'impôts qui n'affamait pas les populations garantissaient la stabilité de l'empire. En fait, l'appartenance à ce qu'un spécialiste appelle «la sphère de prospérité panandine» du Tahuantinsuyu avait ses avantages: elle protégeait de la famine et des attaques étrangères; mais la privation de liberté en était la rançon.

Pachacutec désigna comme successeur le plus jeune de ses fils, Tupac Yupanqui. Bien avant son avènement, celui-ci poursuivait la politique de conquête de son père: il repoussa les frontières de la province du Chinchasuyu au-delà de Quito (l'actuelle capitale de l'Equateur), puis continua sa pénétration en direction du littoral. Après son intronisation, il soumit successivement les populations de la côte sud, plusieurs tribus guerrières de l'Antisuyu et la région montagneuse qui constitue aujourd'hui la Bolivie et le nord du Chili. Tupac Yupanqui devint maître d'un empire qui longeait presque toute la cordillère des Andes, depuis le centre du Chili jusqu'au nord de l'Equateur, et qui couvrait plus de cinq cent soixante mille kilomètres carrés.

Cuzco, la cité impériale

Pendant que Tupac Yupanqui poursuivait son avance vers le nord, son père, Pachacutec, se consacrait à l'administration, aux cérémonies religieuses et à la transformation de Cuzco. Désireux de donner au Tahuantinsuyu une capitale digne de ce nom, il fit de ce qui n'était que le centre d'un royaume tribal une véritable cité impériale dont les temples et les palais étaient couverts d'or; aussi parle-t-on souvent de «la deuxième fondation» de Cuzco. Il fit aussi reconstruire l'énorme citadelle de Sacsayhuaman. La plupart des vieilles maisons de Cuzco furent démolies ou rebâties; les villages dans un rayon de dix kilomètres furent évacués et leurs habitants déplacés vers des régions éloignées. Pachacutec modifia le plan de la cité, en s'inspirant de la silhouette d'un puma (voir page 26). Ces travaux gigantesques, qui durèrent vingt ans, employèrent cinquante mille manœuvres, pour la plupart des prisonniers de guerre.

Pour les Incas, Cuzco devait être le centre du monde; ce mot signifie d'ailleurs «nombril» en quichua. De l'immense esplanade, la Huacaypata, partait tout un réseau de routes qui reliait la capitale aux quatre provinces, jusqu'aux endroits les plus reculés. La Huacaypata englobait alors une place légèrement plus petite, la Cusipata (aujourd'hui la place de la Joie), juste de l'autre côté de la rivière Huatanay; l'ensemble était idéal pour les grands rassemblements. Bordée de trois côtés par les murs de pierre des palais, la Huacaypata servait aux cérémonies officielles, tandis que les célébrations religieuses se déroulaient sur la Cusipata. On peut se faire une idée des fêtes inca en lisant le récit que Miguel de Estete, chroniqueur espagnol, fait du sacre de Manco Inca, souverain fantoche, en 1533: «Il y avait tant de monde et tous, hommes et femmes, s'emplissaient tant la panse, non de victuailles, mais de boissons, puis se soulageaient si abondamment, que deux rigoles roulèrent jusqu'à la rivière des flots d'urine, tout le jour durant.»

Les Espagnols ne touchèrent pratiquement pas à la Huacaypata, l'actuelle place d'Armes; par contre, ils transformèrent complètement la Cusipata, ne laissant que deux espaces vide de constructions: la petite place Regocijo et la minuscule place Mantas. Rien ne reste du dépôt d'armes, Sunturhuasi; cette tour ronde de quatre étages, au sud de la Huacaypata, était à l'époque le plus haut bâtiment de Cuzco.

Des maquettes d'argile, à échelle réduite, servirent à tracer les plans de la cité. La plupart des bâtiments des «beaux quartiers» du centre ne comportaient qu'un étage. Les fondations et le soubassement étaient d'une facture grossière, mais les murs porteurs étaient faits avec l'appareillage typique de la maçonnerie inca: des blocs de pierre taillés et parfaitement ajustés, sans l'aide d'aucun mortier; enfin, la partie supérieure était en adobes, briques de terre et de paille séchées au soleil. Les toits étaient en bois et en chaume: la tuile était alors inconnue. Les lotissements périphériques étaient moins bien dessinés; les maisons étaient simplement en adobes ou en pierres brutes liées par de l'argile; les toits étaient, là aussi, en chaume. Dans ces quartiers, seuls les temples et les sanctuaires étaient en blocs à joints vifs. La forme des blocs eux-mêmes pouvait être polygonale ou rectangulaire. Il semblerait que les premières bâtisses aient été généralement en blocs polygonaux, puis que la construction par assises horizontales de blocs rectangulaires se soit imposée. Toutefois, ce n'est pas une règle, et, à une même époque, on pouvait utiliser la pierre de l'une ou l'autre manière.

Beaucoup des grands monuments de Cuzco datent de Pachacutec. Son palais, le Condorcancha, qui devait devenir la résidence de Francisco Pizarro, occupait à lui seul une grande partie de la Huacaypata, du côté nord-ouest. Il n'en reste que quelques murs, aujourd'hui englobés dans des hôtels et des restaurants. C'est probablement Pachacutec qui fit reconstruire le palais de Manco Capac à Colcampata, qu'il surnomma Llactapata («le Village sur la colline»). On lui attribue aussi la création de Yachayhausi («la Maison du savoir»), où étaient éduqués les fils des Incas et des nobles. Sur son emplacement, aujourd'hui la petite place Nazarenas (au nord-est de la place d'Armes), s'élèvent l'église de las Nazarenas et le séminaire de San Antonio, dont on admirera les portails et quelques beaux murs incaïque.

Pachacutec agrandit le Coricancha: les murs de blocs rectangulaires qui servent de fondations au couvent de Santo Domingo datent de cette époque. «L'Enclos d'or» était aussi le principal observatoire de Cuzco: on y déterminait les solstices et les équinoxes d'après l'alignement du soleil avec des tours bâties sur les collines avoisinantes. Le temple était recouvert de feuilles d'or, et son jardin était une splendeur: peuplé de lamas et orné de fines sculptures en or et en argent de personnages, de plantes ou de fleurs. Il va sans dire qu'aucune de ces merveilles n'a résisté à la Conquête: l'or du Coricancha servit en partie à payer à Francisco Pizarro la rançon de l'Inca Atahualpa, et le conquistador Diego de Trujillo s'appropria le reste. Voici, de sa bouche même, en quels termes le grand prêtre s'adressa à lui: «Comment oses-tu pénétrer en ce lieu? Quiconque entre ici doit avoir jeûné une année durant, et se présenter pieds nus, le dos courbé sous le fardeau!» Diego de Trujillo ne prêta aucune attention à ces paroles, et les effigies d'or et d'argent franchirent les montagnes pour être fondues en lingots. Seul le *punchao*, gigantesque emblème en or du Soleil, aurait échappé au pillage; les gardiens du temple l'avaient si bien caché qu'on ne l'a toujours pas retrouvé.

Tupac Yupanqui, le fils de Pachacutec qui lui succéda, poursuivit la reconstruction de Cuzco et de Sacsayhuaman. Il bâtit un nouveau palais, le Pucamarca, à l'angle est de la Huacaypata; plusieurs de ses murs sont

Sacsayhuaman: le socle circulaire de la tour centrale, Muyuc Marca;
les deux autres tours étaient rectangulaires. L'enceinte extérieure a 22 mètres de diamètre;
l'enceinte intérieure a été surnommée «l'œil du puma». Muyuc Marca
comportait quatre étages et des fenêtres donnant sur Cuzco.
C'était apparemment la demeure de l'Inca quand il résidait à Sacsayhuaman.

encore debout, et on peut en voir d'autres à l'intérieur de l'Office du tourisme. On lui attribue aussi la construction de la «maison des Vierges du Soleil» (l'*acclahausi*). L'enceinte de cette bâtisse surplombe maintenant les rues Loreto et Arequipa, non loin de la place d'Armes, au sud-est. Le tremblement de terre de 1950, en détruisant plusieurs bâtiments coloniaux, mit à jour des murs incaïques jusque là inconnus; et vraisemblablement, tout n'a pas été encore découvert.

Huanay Capac, qui succéda à Tupac Yupanqui à la mort de celui-ci, ne semble pas avoir été un grand bâtisseur. Il se contenta de se faire construire un nouveau palais, comme c'était la coutume, l'Amarucancha, aujourd'hui siège de l'université de Cuzco.

Sacsayhuaman et ses alentours

La reconstruction de Sacsayhuaman («le faucon assouvi» ou «le faucon royal») était ce qui tenait Pachacutec le plus à cœur. C'est le seul site archéologique important dans les environs immédiats de Cuzco. Du temps des Incas, cette forteresse était reliée à la capitale par une route dont seul le dernier tronçon subsiste, derrière l'église de San Cristóbal, près de Colcampata. Perchée sur une colline au nord-ouest, la citadelle surplombe Cuzco de cent cinquante mètres environ. Au sommet d'une côte très raide, derrière un mur unique, se détachaient les tours qui impressionnèrent tant les Espagnols. Derrière ces tours, trois enceintes parallèles, disposées en terrasses et faites de blocs gigantesques, zigzaguent, d'est en ouest, sur plus de cinq cent mètres. Au nord de l'immense esplanade, la petite colline de Suchuma (ou Rodadero) est couverte de fondations. Au-delà de cette colline, les fouilles, qui continuent aujourd'hui, ont mis en évidence que ce site était occupé bien avant les Incas.

C'est seulement en 1934 que l'on dégagea les bases de ces trois tours, qui englobaient des magasins et des citernes, et étaient reliées entre elles par des passages souterrains. Tout autour, se dressaient des temples, des observatoires et des édifices divers. Certains murs étaient recouverts de plaques d'or, qui ont été arrachées par les conquistadors. Ils démolirent aussi les tours et, avec les pierres, bâtirent la ville coloniale de Cuzco.

Ce fut le sort de presque tous les bâtiments de Sacsayhuaman à un moment ou un autre et, jusque dans les années 1930, ce site servait encore de carrière! Seuls les énormes blocs des murailles en zigzags sont toujours en place... intransportables. Le plus volumineux a près de neuf mètres de haut et peserait plus de trois cent soixante tonnes. On a peine à imaginer comment ils furent acheminés, mis en place et taillés avec une telle précision, et le temps que cela nécessita: pour tailler une pierre, le seul outil était un morceau de silex. Cependant les Incas disposaient d'un certain nombre de moyens (cordes, traîneaux, rouleaux, leviers), et surtout d'une main-d'œuvre innombrable et très encadrée, capable de venir à bout d'un travail de Titans.

Bien sûr, certaines théories font plus couleur locale. Des guides de Sacsayhuaman vous raconteront, avec délices, que les prêtres étaient capables de faire décoller les rochers du sol, ou bien que les Incas transformaient la pierre en mastic grâce à une décoction de plantes de la jungle. L'existence d'une civilisation mégalithique antérieure aux Incas est une autre hypothèse pour expliquer la présence de ces pierres géantes en plusieurs endroits, comme Sacsayhuaman ou Tiahuanaco. Elle s'appuie sur un mythe inca qui évoque des temps où la Terre était éclairée par la Lune et peuplée d'hommes mystérieux, capables, par leur seule volonté,

Sacsayhuaman: les grands murs en zigzags, vus de l'esplanade,
à propos desquels Pedro Sancho, un des compagnons de Francisco Pizarro,
disait: «Ces murs [...] sont faits de pierres si volumineuses
qu'on dirait de grands pans de montagnes, et qu'on ne peut croire
en les voyant qu'elles aient été mises là par la main de l'homme.

de déplacer les montagnes. Mais les archéologues s'accordent en général à dater ces mégalithes de la fin de l'Empire inca.

Ce fut Pachacutec qui acheva la construction de Sacsayhuaman, lui donnant sa configuration actuelle. Son fils, Tupac Yupanqui, améliora les bâtiments à l'intérieur des murs. Au départ, sa fonction était essentiellement militaire: on pouvait toujours craindre l'attaque de quelque voisin. Mais à l'époque de Pachacutec, les tribus étrangères ne constituaient pas une menace réelle pour l'empire, en tout cas dans la vallée de Cuzco. En agrandissant les temples et en construisant les fameuses murailles en zigzags, Pachacutec voulait probablement faire de la citadelle un centre religieux, consacré au dieu de l'Eclair.

Mais, quelle qu'ait été la destination réelle de Sacsayhuaman, les Espagnols ne doutaient pas que ce fût une forteresse redoutable. C'est, semble-t-il, en 1536 qu'elle servit pour la première fois, lors de la grande révolte de Manco Inca, qui faillit bouter les Espagnols hors de Cuzco. Malgré leur supériorité numérique et leur courage, les troupes inca furent battues. Quand les Espagnols réussirent à investir la citadelle, ils passèrent au fil de l'épée les quinze cents soldats qui la défendaient; les condors dépecèrent leurs cadavres.

Au nord-est de Suchuma, le relief semble avoir été sculpté par la nature: labyrinthe creusé dans la roche par des ruisseaux souterrains, éboulis vertigineux, dus sans doute à des mouvements de descente de glaciers à l'époque préhistorique. Plus loin, un «amphithéâtre» dont on ignore la fonction vient d'être restauré.

La route goudronnée qui relie Sacsayhuaman à Pisac laisse de côté trois sites plus petits, mais dignes d'intérêt (Quenqo, Puca Pucara et Tambo Machay). Si on sort des sentiers battus, on découvrira un grand nombre de curiosités méconnues, reliées par des sentiers inca: canaux d'irrigation, nombreux rochers taillés ou *huacas*, mot qui désigne ces objets sacrés et, par extension, le sanctuaire où les Indiens leur rendaient un culte.

A Quenqo, à un kilomètre et demi de Sacsayhuaman, se trouve un de ces *huacas*. Particulièrement grand, il était entouré à l'origine d'oratoires, de bains rituels etc. Mais tout ce qui reste, c'est ce que les Espagnols ne purent détruire, comme la base d'un cadran solaire taillé dans la roche, un *intihuatana*; ce terme, reconstitué en quichua par les archéologues, signifie «le lieu où le soleil se fixe». Sur ces *intihuatana*, que l'on voit dans la plupart des sites incaïques, il y avait probablement des instruments sophistiqués, mais on n'en a retrouvé aucun. Après ce premier ensemble de roches sculptées, on pénètre dans un amphithéâtre surmonté d'un *huaca* proprement dit, un monolithe de six mètres de haut. Dans leur rage d'«extirper l'idolâtrie», les Espagnols défigurèrent les motifs sacrés dont il était gravé.

Une route inca monte vers Susurpuquio, à l'est de Quenqo. Là, un énorme *huaca* présente une entaille profonde qui a été élargie pour former un tunnel. Dans la partie supérieure du rocher, ont été taillées de nombreuses corniches et gravés plusieurs animaux, tels que lamas et condors. Selon la légende, c'est dans ce sanctuaire, édifié près d'un source, que le jeune Pachacutec, alors qu'il allait livrer bataille aux Chanca, eut une vision au cours de laquelle le dieu Soleil lui révéla l'avenir glorieux de l'empire.

A six kilomètres et demi environ, la route qui part de Quenqo aboutit aux ruines de Puca Pucara, «la Forteresse rouge» (le nom d'origine reste inconnu); en fait, on ne pense plus aujourd'hui que ce lieu ait été toujours un fort, et on ne sait pourquoi il fut qualifié de «rouge». C'est un ensemble de bâtiments et de remparts en haut d'une colline. La maçonnerie est sans intérêt, ce qui laisserait à penser qu'il s'agissait plutôt d'un relais de

Au nord de Sacsayhuaman, chaos volcaniques,
qui servaient de carrière
pour les divers chantiers du site.

Sacsayhuaman, une porte monumentale.
Le linteau n'est pas d'origine: il n'est pas taillé
dans la même pierre, et ne s'adapte pas parfaitement,
malgré la bonne volonté des amateurs
qui ont effectué récemment cette restauration.

Sacsayhuaman: la grande croupe rocheuse
appelée «trône de l'Inca». On ignore dans quel but
elle a été ainsi taillée: sans affirmer que ce soit
vraiment un trône, on est sûr qu'elle avait une fonction
rituelle importante.

Sacsayhuaman: détail du «trône de l'Inca».
Ce fut Pachacutec qui acheva la construction de
Sacsayhuaman, lui donnant sa configuration actuelle.
En agrandissant les temples et en construisant les
fameuses murailles en zigzags, Pachacutec voulait
problablement faire de la citadelle un centre religieux,
consacré au dieu de l'Eclair.

Quenqo: rigoles en zigzags creusées dans la pierre du huaca. Elles servaient peut-être à recueillir le sang des animaux sacrifiés, lamas et autres; à la différence des Aztèques au Mexique, les Incas ne semblent pas avoir pratiqué de sacrifices humains. Juste à côté, on peut voir l'«intihuatana».

voyageurs. Juste de l'autre côté de la route, le site de Tambo Machay, à la tête d'une petite vallée, se compose de trois terrasses, avec de belles murettes typiquement incaïques, reliées par des escaliers. Une source souterraine alimente un chenal de pierre qui traverse la deuxième terrasse, puis deux rigoles qui remplissent les bassins en contrebas. De l'autre côté de la colline, une petite tour ronde, en ruines, servait probablement à transmettre des messages à Puca Pucara.

Après la mort de Tupac Yupanqui, vraisemblablement en 1493, son fils Huayna devint Inca Capac. Un an avant, Christophe Colomb avait découvert l'Amérique. Son règne fut long et prospère, mais sans l'éclat militaire des deux précédents. Il restait peu de terres à conquérir et, malgré le réseau routier qui couvrait l'empire, maintenir le contact avec des régions de plus en plus éloignées devenait très difficile. Néanmoins, il soumit des tribus guerrières qui vivaient tout au nord, à la hauteur de l'actuelle frontière entre l'Equateur et la Colombie; l'empire atteignit alors sa superficie record. Huayna Capac préférait le climat plus humide des montagnes du Nord; aussi finit-il ses jours à Quito avec Atahualpa, un de ses bâtards, mais son fils préféré, tandis que ses enfants légitimes vivaient à Cuzco.

Huayna Capac avait l'intention de donner le royaume de Quito, au nord, à Atahualpa, et le reste de l'empire, autour de Cuzco, à Ninan Cuyuche, son fils aîné. Mais, en 1525, une terrible et mystérieuse maladie, probablement la variole, ravagea le pays. Elle emporta l'Inca, une grande partie de la Cour, Ninan Cuyuche et un nombre incalculable d'habitants.

Peu après la mort de Huayna Capac, Huascar, un autre de ses fils légitimes, fut sacré Inca à Cuzco. La mésentente régnait entre lui et son demi-frère, Atahualpa, un ambitieux. Ils ne mirent pas longtemps à tuer leurs envoyés respectifs et à se déclarer la guerre. Ils se livrèrent plusieurs batailles, dont Atahualpa sortit toujours vainqueur. Finalement Huascar et son armée tombèrent dans une embuscade, au milieu d'un défilé, et l'Inca fut fait prisonnier. L'armée triomphante d'Atahualpa marcha sur la capitale; les notables firent allégeance au nouveau souverain, contre la promesse qu'il n'y aurait pas de représailles. Mais Atahualpa ruminait sa vengeance: depuis son camp à Cajamarca, il ordonna l'exécution de toute la famille et de tous les partisans de Huascar; plus de quatre-vingts de ses enfants furent tués, et leurs cadavres empalés sur la route de Cuzco.

Huascar fut obligé d'assister à cet épouvantable massacre, qui brisa le moral des nobles et des gens du peuple.

Atahualpa se retrouvait maintenant chef suprême du Tahuantinsuyu, un empire affaibli par la guerre civile et la maladie, mais sans égal au monde. Alors qu'il fêtait sa victoire et devait se rendre à Cuzco pour être intronisé, on lui rapporta que des hommes blancs et barbus avaient débarqué sur la côte nord, près de Tumbes. Il décida d'attendre de voir ce que ces étrangers, peut-être des envoyés de Viracocha le Créateur, allaient faire.

Le magnifique sanctuaire de Tambo Machay, où l'on pense que l'Inca venait faire ses ablutions rituelles (détail).

Quenqo, la chambre souterraine connue sous le nom de «chambre des sacrifices»; le sang des bêtes immolées coulait dans des rigoles (voir page 35). Sur la table de pierre, on embaumait peut-être les cadavres des nobles; en dessous, une fosse profonde, remplie de serpents venimeux, où, selon la croyance populaire, les Incas jetaient les criminels condamnés à mort.

La Rivière sacrée

S'il ne prend pas l'avion, c'est en train que le voyageur se rendra à Cuzco, depuis Puno ou Arequipa. Après une montée interminable, à travers l'altiplano, jusqu'au col de la Raya (4267 mètres), la descente dans la vallée du Vilcanota offre un contraste saisissant. Après les horizons secs et désolés du haut plateau, la vallée est verte, fertile, peuplée de nombreuses communautés d'apparence prospère. Les maisons sont toujours en adobes, mais les toits sont aujourd'hui en tôle ondulée.

Loin de là, le Vilcanota prend sa source dans un lac sous les pics du même nom. En suivant la rivière, on découvre bientôt les vestiges des terrasses de cultures inca, les *andenes*, si nombreuses qu'elles donnèrent leur nom à la chaîne des Andes. Beaucoup sont à l'abandon et s'écroulent sous le pas pesant du bétail. Les sources qui alimentaient les systèmes d'irrigation sont souvent taries, car les forêts, véritables éponges naturelles qui les protégeaient, ont depuis longtemps disparu. Là où les terrasses et les canaux on survécu, les récoltes sont aussi abondantes qu'à l'apogée de l'Empire inca.

C'est le cas à Raqchi, village au cœur de la vallée du haut Vilcanota. En montant vers la place, on découvre une cuvette aux cultures verdoyantes sur la gauche, et un haut mur de blocs polygonaux, parfaitement ajustés, sur la droite. La petite église a l'aspect irréel de ces maquettes d'argile vendues dans les fêtes. A l'est, l'eau d'une canalisation souterraine jaillit des multiples bouches d'une fontaine inca, et arrose les terrasses.

Pisac:
la Vallée sacrée et ses riches cultures, vues depuis un donjon à l'extrêmité de la ligne de crêtes.

On a peine à croire que Raqchi était, il y a cinq cents ans, un des principaux centres de la civilisation et de la religion inca. Pourtant, derrière les huttes du village moderne, le mur de l'ancien temple et les colonnes qui jadis supportaient la toiture ont plus de douze mètres de haut. Derrière le mur, au sud-ouest, six places en enfilade, chacune bordée de six habitations de même style, s'alignent sur près de quatre cents mètres. Plus à l'ouest, on peut voir un ensemble imposant de deux cents batiments circulaires identiques, adossés par rangées de dix. Par une étroite ouverture, on pénètre dans une pièce large de six mètres environ; de petites fenêtres, en haut de murs atteignant jusqu'à trois mètres, laissent passer le jour.

Ces bâtisses précédèrent certainement les Incas de plusieurs centaines d'années: les constructions circulaires étaient rares de leur temps, et l'utilisation de la pierre sèche est plus typique des cultures primitives de Tiwanaku ou de Wari. Mais il est certain que les incas les utilisaient encore, sans doute comme greniers. Ce sont eux également qui érigèrent sur ce site un de leurs principaux temples, dédié à Viracocha, le Créateur. Selon une légende locale, ils voulaient l'apaiser après les ravages d'une éruption volcanique.

Le culte de Viracocha, qui a probablement débuté sous les derniers Incas, marque une rupture avec l'animisme primitif, l'adoration des esprits du ciel et de la terre (soleil, lune, étoiles, arcs-en-ciel, tonnerre et éclair). Viracocha fut reconnu comme le créateur de tous ces phénomènes, donc le Maître. Pour certains spécialistes, Viracocha, réprésenté par un disque d'or, était le dieu suprême, même au Coricancha. Mais seuls les plus réfléchis honoraient ce dieu invisible. On connaît plusieurs prières à Viracocha. L'une d'elles exalte «le Créateur du monde et de tous les hommes, le Seigneur tout-puissant». «Mes yeux me trahissent tant je brûle du seul désir de Te connaître». Contrairement aux accusations des fanatiques religieux espagnols, soucieux de justifier leur conquête, la religion des derniers Incas était fondamentalement monothéiste: les forces naturelles étaient vénérées non comme de vrais dieux, mais comme des manifestations de la puissance divine.

Ci-contre, en haut: Raqchi, les murs du temple de Viracocha, le Créateur. Le soubassement en blocs taillés, à joints vifs, est typiquement inca; la partie supérieure est en adobe. Le toit en tuiles a été ajouté récemment, pour protéger la brique de la pluie.

En bas: Rumicolca, l'immense porte de pierre qui donne sur la vallée de Cuzco. La qualité des murs de chaque côté des deux ouvertures montre l'importance de cette porte; elle contrôlait l'accès à toute la vallée. Mais les Incas ont bâti sur une structure déjà existante: sous l'empire de Wari, cette porte était surmontée d'un aqueduc qui amenait l'eau à la cité de Pikillacta, juste de l'autre côté de la vallée; on peut encore voir les canalisations. La maçonnerie plus grossière à côté de la porte est d'origine pré-incaïque.

Depuis Raqchi, on peut se rendre à Cuzco par la route ou le chemin de fer, ou bien, dans la même direction, suivre une piste qui mène à Checacupe, à dix-neuf kilomètres, où une imposante église vaut le déplacement; mais elle est immanquablement fermée et la clé difficile à dénicher. Un pont colonial à une seule arche franchit la gorge. A partir de Checacupe, on rejoint Cuzco, à quatre-vingt-seize kilomètres, par une route pavée. Sur le chemin, les églises coloniales d'Andahuaylillas et de Huaro recèlent d'admirables peintures murales (décrites au chapitre IV).

En suivant la vallée, on peut visiter les ruines de Rumicolca («le Hangar de pierre»), puis celles de Pikillacta («la Ville des puces»). La forteresse massive de Rumicolca est visible de la route. Non loin de là, la rivière Huatanay, qui traverse Cuzco, à trente-deux kilomètres en amont, se jette dans le Vilcanota. De l'autre côté de la route, les vestiges de Pikillacta s'étendent à flanc de coteau. Cette cité fut abandonnée bien avant que les Incas ne dominent cette région, probablement après une sécheresse. On pénètre dans ce site très vaste par une grande esplanade rectangulaire, entourée d'un mur de pierre sèche, grossier mais dont la hauteur (six mètres par endroits) est exceptionnelle pour ce type de construction. A l'est, quelques terrasses de cultures, en assez bon état, s'étagent sur la colline. De toute évidence, ni ces terrasses, ni les canaux d'irrigation ne datent des Incas. C'est d'un monticule au nord que l'on a la meilleure vue sur la cité, qui surplombe les terrasses. Mais le touriste non initié a l'impression d'être perdu dans un fouillis de ruines, toutes semblables.

Au nord-ouest de Pikillacta, une carrière, qui approvisionnait déjà les chantiers de Cuzco du temps des Incas et des Espagnols, est toujours en activité. On a peu de précisions sur la façon dont les tailleurs de pierres procédaient. Ils devaient élargir les fissures de la roche, en y plantant des coins en bois sec; ceux-ci se dilataient sous l'effet de l'humidité, ce qui permettait d'enfoncer d'autres coins, plus profond; et ainsi de suite jusqu'à ce que la roche se fende. Les ouvriers façonnaient alors les blocs avec des marteaux et des hâches en pierre, des morceaux de silex, et des ciseaux en cuivre; pour les déplacer, ils utilisaient des rouleaux et des leviers en bois et en bronze. Il semble qu'ils ne faisaient que dégrossir les blocs, laissant des saillies (parfois visibles) qui permettaient de les empoigner; la taille finale se faisait sur le chantier lui-même.

A quelques kilomètres de Pikillacta, un panneau indique Choquepujío; il faut alors quitter la route et marcher une dizaine de minutes le long de la rivière Huatanay pour y arriver. Ce site, perché au sommet d'une butte, est envahi de ruines et de troupeaux, que gardent de jeunes bergers. Bien qu'appartenant également à la culture de Wari, Choquepujío ne ressemble guère à Pikillacta: les murs sont faits de petites pierres assemblées par du mortier et d'adobes dans leur partie supérieure. Les vestiges d'un double mur à trois étages, très haut et percé des deux côtés de niches funéraires, suggèrent que ce site était le cimetière de Pikillacta.

A partir de Choquepujío, le Vilcanota continue sa descente sur Pisac et la Vallée sacrée, tandis que la route dépasse Rumicolca pour remonter la vallée du Huatanay en direction de Cuzco. A huit kilomètres environ, après l'embranchement vers Oropesa, et à vingt-quatre kilomètres de Cuzco, un panneau indique la direction de Tipón. Pour gagner ce petit site méconnu, il faut sortir du village et grimper une heure environ sur le versant de la vallée; la piste est carrossable, mais très défoncée.

Encaissé dans une vallée latérale, c'est un ensemble, d'une beauté inoubliable, de terrasses de cultures et de canaux d'irrigation en parfait état. L'eau des montagnes, limpide et froide, qui jaillit d'une source remplit une fontaine de pierre, puis coule, par les canaux peuplés de grenouilles et de poissons, jusqu'aux terrasses en contrebas. Certaines

Pikillacta, vue d'ensemble du site.
La pierre brute, non façonnée, fait
un contraste frappant avec l'appareillage
inca parfaitement taillé et ajusté.
Chose curieuse, aucun des bâtiments
n'a d'entrée: par mesure de sécurité,
toutes les entrées et ouvertures diverses
se trouvaient au premier étage.

Tipón, détail du système d'irrigation:
l'eau coule dans un bassin qui servait
aux ablutions rituelles,
puis dans une canalisation
qui arrose les terrasses.

43

donnent encore de belles récoltes de maïs et de pommes de terre. A côté de la fontaine, de mystérieuses pierres sont peut-être les vestiges d'un temple dédié au culte de l'Eau. De ce havre de paix, un chemin mène à d'autres ruines, plus haut sur la colline: une grande citerne en pierre qui alimente le système d'irrigation, un sanctuaire assez rudimentaire, construit autour d'un *huaca*. Au-delà de la citerne, l'aqueduc continue de grimper jusqu'à une zone de terrasses et de bâtiments où il n'y a pas encore eu de fouilles. L'ensemble de cette excursion prend une journée entière.

A Tipón, la maçonnerie est d'excellente facture, surtout celle des terrasses inférieures. Celles-ci n'étaient sans doute pas destinées à des cultures ordinaires, mais peut-être à produire la part qui revenait à la divinité et celle de l'Inca. Il se peut aussi qu'en raison de leur climat plus doux, les paysans y aient fait pousser des plants, qu'ils repiquaient ensuite sur les hauteurs, lorsque les conditions le permettaient.

A chaque saison des pluies, il y a dans ces collines d'importants glissements de terrain qui mettent la roche à nu et les rivières roulent des eaux rouges de boue. Pourtant, à Tipón comme partout, les Incas avaient mis au point des modes de culture qui permettaient à la terre de donner d'abondantes récoltes pendant des centaines d'années, sans qu'elle s'épuise. Un jour, les agronomes se pencheront peut-être sur ces techniques qui remontent à plus de cinq siècles, et en feront profiter les communautés misérables des Andes.

La Vallée sacrée

C'est ainsi que les Péruviens appellent couramment la vallée du Vilcanota, depuis Pisac jusqu'à Ollantaytambo. A partir de Cuzco, la plupart des visiteurs empruntent la route qui contourne Sacsayhuaman, Puca Pucara et Tambo Machay, puis redescend sur Pisac en bordure de la rivière. Depuis cette route, on a un point de vue magnifique sur la vallée. Pisac est un joli bourg avec une place ombragée par de vénérables flamboyants, une variété d'arbres courante dans les forêts qui jadis couvraient tous les environs. C'est un site archéologique renommé.

Les rochers qui surplombent le site sont couverts de ruines: comme beaucoup de villages inca. Pisac a été, tour à tour, une citadelle, un complexe agricole, un centre administratif et religieux. Contrôlant l'accès à Cuzco, à l'ouest, et à Paucartambo (colonie inca à la lisière de l'Amazonie), à l'est, Pisac occupait une position stratégique qui en a fait une puissante forteresse pendant longtemps. Mais ce qui frappe au premier abord ce sont ses terrasses, qui escaladent la montagne sur plus de trois cents mètres et expliquent son ancienne prospérité agricole.

Naturellement, ces terrasses pouvaient aussi constituer une défense efficace contre d'éventuels envahisseurs; mais, à l'apogée de leur empire, les Incas n'avaient plus grand chose à craindre. Même les tribus amazoniennes, les Anti, qui faisaient parfois des incursions dans les postes avancés de l'est du Tahuantinsuyu, n'étaient pas un réel problème. Ce qui les intéressait, c'était le butin et non la conquête: elles n'avaient pas l'intention de s'installer dans les montagnes, au climat sec et froid. Si Pisac était encore une place forte importante à la fin de l'empire il est curieux que les Incas n'aient pas essayé de la défendre contre les conquistadors, et que Manco Inca ne l'ait pas utilisée lors de sa rébellion.

On peut accéder au site par la route en lacets qui aboutit dans sa partie

Pisac: le site de Pisaca, vu de la descente depuis Callacasa. On pense que ces bâtiments
hébergeaient les prêtres et les nobles qui résidaient dans la cité.
Ce secteur a été l'objet d'une restauration, voire d'une reconstruction,
intensive, d'une qualité parfois douteuse du point de vue archéologique.

nord-est, ou à pied, par un chemin escarpé qui part de la grand-place de Pisac et traverse les terrasses inférieures. Le mieux est de commencer la visite par Callacasa, un ensemble de ruines au sommet de l'éperon rocheux qui domine le village. Les constructions, vraisemblablement très antérieures à la plupart des autres bâtisses, y sont en maçonnerie grossière, et seraient des ouvrages de défense; on a d'ailleurs du mal à y pénétrer. Depuis Callacasa, on embrasse du regard tout le site, la vallée et la ligne de crêtes. Sur la droite, des précipices dégringolent jusqu'à une petite rivière, le Quitamayo; en face, une paroi rocheuse est percée de multiples tombes que des voleurs, au péril de leur vie, n'ont pas hésité à piller. Immédiatement à gauche, on distingue les constructions en demi-lune de Pisaca; et, plus loin, le petit ensemble de Canchisracay, au bout de la route qui mène au site. A cet endroit, le cours du Vilcanota est exceptionnellement rectiligne: il a été l'une des premières rivières canalisées d'Amérique, ce qui a augmenté la superficie des terres cultivables.

Si vous aimez les sensations fortes, vous pouvez redescendre par un chemin qui longe la crête. Il est très praticable, mais le précipice de chaque côté est parfois vertigineux; heureusement les Incas ont creusé des tunnels dans lesquels le sentier s'engouffre, aux passages difficiles. Après quinze minutes de marche, on parvient au temple principal, immédiatement identifiable à ses blocs rectangulaires parfaitement taillés, parmi les plus beaux que nous connaissions. Au centre de l'aire, on distingue une sorte de colonne rocheuse, entourée d'un soubassement de pierre et surmontée d'un *intihuatana*. On ignore ce que sont les autres bâtiments, peut-être un temple à la Lune, un sanctuaire dédié à Viracocha et une demeure de l'Inca. Dans la partie basse de la ville, juste à la sortie, un bassin, alimenté par une canalisation taillée dans la roche, servait peut-être à des ablutions rituelles. Il faut au moins une demi-journée pour visiter le site de Pisac, qui s'étend sur un kilomètre et demi du nord au sud, et deux heures ne serait-ce que pour en avoir un vague aperçu.

A seize kilomètres environ de Pisac, se trouve le centre administratif actuel de la «Vallée sacrée», Calca, où commence le site de Huchuy Cosco («le Petit Cuzco»). Ces ruines, en excellent état de conservation, sont pourtant négligées par les touristes. Perchées dans les montagnes, au sud, elles dominent Calca de plusieurs centaines de mètres. Pour y monter, il vaut mieux être accompagné d'un guide, ou disposer au moins d'un plan détaillé, et partir de bon matin, avant que le soleil ne chauffe trop. Le sentier très pentu suit presque tout du long une voie inca pavée, dont la plus grande partie a été détruite par le bétail. Avant la Conquête, seuls les hommes et les lamas empruntaient ces routes; en introduisant les chevaux et le bétail, au pas plus lourd, les Espagnols rendirent la plupart d'entre elles méconnaissables. De même, ils brûlèrent les vertes forêts qui couvraient les montagnes pour en faire des pâtures, où quelques touffes d'herbe émergent entre les cactus et les arbustes épineux.

La place centrale de Huchuy Cosco, qui s'étend d'est en ouest, est de la taille d'un terrain de football, ce qu'elle est d'ailleurs, car c'est le seul endroit plat sur des kilomètres. A l'ouest, il y a un grand bâtiment à deux étages dont les murs remarquables ont malheureusement été fissurés, il y a très longtemps, lors d'un tremblement de terre. Un peu plus loin, une vaste cuvette bordée de pierres évoque une piscine; ce n'est qu'une hypothèse, d'autant qu'on n'a pas trouvé de conduite d'eau, mais personne n'en a formulé de meilleure.

Au sud de l'esplanade, derrière un mur élevé, se dresse une bâtisse allongée qui servait d'auberge, une *kallanka*, dans laquelle on pénètre par des portes cochères. Plus loin, un autre bâtiment contient un énorme bloc de pierre brute qui reste une énigme. Partout la maçonnerie est excellente.

En haut, à gauche: Callacasa
(partie supérieure de Pisac),
détail des terrasses en contrebas.
Les marches prouvent que ces
terrasses étaient principalement
utilisées pour les cultures et que
leur but défensif n'était que
secondaire.

En haut, à droite: Pisac, bassin
de l'aire sacrée autour de
l'Intihuatana. Les prêtres
y faisaient probablement leurs
ablutions rituelles avant d'officier.

En bas: Pisac, l'Intihuatana
(«l'endroit où le soleil se fixe»).
Les murs circulaires
qui entourent le rocher
sont d'une remarquable facture,
ce qui laisse à penser
que c'était le lieu
le plus sacré de la cité.
L'Intihuatana a été
malheureusement endommagé,
soit par les Espagnols dans leur
lutte contre l'idolâtrie, soit plus
récemment par des vandales.
Du temps des Incas, il était
surmonté d'instruments de mesure
en métaux précieux,
utilisés par les astronomes.

Dans des niches trapézoïdales, subsiste un enduit de boue durcie, parfois abîmé par le vandalisme de quelque touriste qui y a gravé son nom.

Plus en aval, Urubamba est la plus grosse ville après Calca, mais elle est sans intérêt, du point de vue historique ou archéologique. Mais, juste avant, on peut faire une halte a Yucay, charmant village généralement dédaigné par les voyages organisés. Au milieu d'un terrain herbeux, planté d'immenses flamboyants, on peut voir les vestiges du palais de Sayri Tupac; datant de l'époque coloniale et construit essentiellement en adobes, il est très différent des palais inca classiques. Sayri Tupac, fils de Manco Inca, naquit en 1535 dans l'état indépendant de Vilcabamba, et devint Inca à l'âge de cinq ans, à la mort de son père. Les Espagnols l'amenèrent a quitter son pays contre un territoire près de Yucay, où il construisit son palais. Malheureuseument pour eux, son frère, Titu Cusi, le remplaça à Vilcabamba. Sayri Tupac fut le type même de l'Inca fantoche (il alla jusqu'à se convertir au christianisme), jusqu'à sa mort, suspecte, à l'âge de vingt-cinq ans. Derrière le village, de grandes terrasses de cultures s'élèvent par paliers; elles sont irriguées par les ruisseaux qui coulent des glaciers et des pics enneigés.

Au sud-ouest d'Urubamba, en direction d'Ollantaytambo, Las Salinas est un des endroits les plus surprenants de la région. De la route, on aperçoit, à quelques kilomètres de distance, une colline toute blanche de marais salants qui scintillent au soleil. Pour s'y rendre, il suffit de traverser une passerelle à Tarabamba, de descendre la rivière sur un kilomètre et demi, et de remonter dans une vallée latérale très encaissée. Sur le chemin, on rencontre des vieilles femmes avec leur âne, et parfois des familles entières qui redescendent en bougonnant sous le poids des sacs de sel. Dans la clarté du matin, les salines offrent un spectacle rare.

Cette industrie a été rendue possible par la teneur en sel très élevée du sol; avec la pluie, ce sel filtre lentement à travers la roche. Ce phénomène produit parfois des résultats spectaculaires, comme à Moray. On peut se rendre à ce centre agricole qui date des Incas, soit à pied, en suivant la vallée depuis Las Salinas, soit en voiture à partir de Maras, quand la piste est carrossable. D'une manière ou d'une autre, il vaut mieux s'adjoindre un guide local et compter sur une bonne journée de visite.

Pisac: restauration des toits de chaume originels dans la partie basse de la cité, Corihuayrachina, après l'Intihuatana, en redescendant vers la vallée.

A force de filtrer et de stagner pendant des années, le sel a entraîné à Moray la formation de quatre grands cratères, dont le diamètre d'ouverture peut atteindre huit cents mètres et la profondeur plus de trente mètres. A une date que nous ignorons, vraisemblablement avant les Incas, les autochtones firent une découverte intéressante: le climat au fond des cratères est très différent de celui qui règne en superficie, et la température peut chuter rapidement jusqu'à un degré très bas. Ils bâtirent alors des terrasses en cercles concentriques autour des cratères, accentuant les écarts naturels de température entre les différents niveaux. Chaque terrasse simulait le climat d'une altitude différente; c'était l'endroit rêvé pour expérimenter de nouvelles espèces de plantes. Nous dirions aujourd'hui que Moray était une ferme-pilote; les gens du coin l'appellent «la serre des Incas», qualificatif qui vaut bien le nôtre. Les murets sont toujours là; dans leur maçonnerie, essentiellement incaïque, on rencontre quelques éléments apparemment antérieurs.

Tout cela peut sembler une reconstitution douteuse. Mais les Incas avaient besoin d'une agriculture forte, capable de faire vivre non seulement les paysans, mais aussi l'armée, les ouvriers, les fonctionnaires, le clergé et la noblesse. Il n'y a donc rien d'étonnant à ce qu'ils aient cherché à développer les cultures. Ils firent pousser le maïs et le quinoa, céréale riche en protéines, à des altitudes où cela ne semblait pas possible, et dans les régions montagneuses qui vivaient essentiellement de la pomme de terre, ils introduisirent de nouvelles variétés de maïs, plus résistantes. Ces innovations n'étaient d'ailleurs pas pure philanthropie: le maïs était facile à transporter et à stocker, et servait à fabriquer leur boisson favorite, la *chicha*. Moray peut donc avoir été une sorte de laboratoire dont les découvertes étaient ensuite appliquées dans toutes les provinces.

Ci-contre, en haut: Huchuy Cosco, vue d'ensemble des ruines. Cette cité fut construite par les habitants de Calca comme tribut à Viracocha, après que l'Inca les ait soumis. Il se pourrait qu'il ait utilisé cet endroit comme lieu de retraite, ce que semble confirmer la qualité des bâtiments. Certains historiens pensent que c'est là qu'il trouva refuge après l'offensive des Chanca. Cela ne semble pas très crédible: malgré les murettes assez élevées, ce site ne devait pas être facile a défendre, surtout contre des attaques venant des hauteurs.

En bas: Pichinjoto. Ce village, protégé par un surplomb rocheux, vit de l'exploitation du sel. Ses habitants pensent qu'ils sont des descendants de l'aristocratie inca; ils sont plus grands et ont la peau plus claire que les gens du coin.

Le village de Chinchero a été bâti près d'un affluent de l'Urubamba, dans une région montagneuse et balayée par le vent. Il est accessible soit à pied, par une voie inca qui part de la Vallée sacrée, soit par la route qui mène à Cuzco. Cette route pavée, qui grimpe le long d'une montagne qu'on craint de voir s'ébouler à tout moment, finit par déboucher sur un plateau plus stable; puis, juste après l'embranchement vers Maras et Moray, elle serpente jusqu'à Chinchero. L'agriculture de ce village s'est considérablement appauvrie, et ses habitants ne survivent aujourd'hui que grâce au tourisme et au marché dominical.

L'ampleur des ruines montre qu'il en était tout autrement du temps des Incas. La plupart des maisons reposent sur des fondations incaïques, et toutes les pentes, jusqu'à la vallée en contrebas, sont couvertes de terrasses. Chinchero était le centre administratif de toute cette région et peut-être, avant la colonisation inca, la capitale d'un petit état indépendant. La taille de son église, aujourd'hui plutôt délabrée, prouve aussi son importance à l'époque des Espagnols.

Le terme de «centre administratif» que nous utilisons pour qualifier Chinchero, et d'autres lieux mentionnés dans ce livre, mérite d'être précisé. Comme nous l'avons vu, l'Empire inca avait besoin de beaucoup de denrées alimentaires et d'une énorme main-d'œuvre; c'est en définitive la paysannerie laborieuse qui, par les tributs, lui procurait tout cela. L'Etat prélevait deux types d'impôts. D'un côté, toute exploitation agricole était divisée en trois: les paysans n'avaient droit qu'à une part des récoltes; les deux autres parts étaient destinées à l'Inca. De l'autre, la *mita* imposait à tout homme valide de travailler une partie de l'année pour le souverain, système dont les Espagnols devaient user et abuser. Prélever ces tributs sans erreur et sans injustice exigeait de connaître le nombre exact d'habitants, la quantité de terres et de récoltes de chaque communauté. Les fonctionnaires impériaux étaient chargés de recueillir et de garder ces informations, d'envoyer des rapports aux archives de Cuzco et de s'assurer que les prélèvements parvenaient à destination. Il y avait de nombreux centres administratifs, reliés entre eux par des grand-routes; des messagers qui se relayaient faisaient circuler l'information à toute vitesse et dans toutes les directions. En somme, le Tahuantinsuyu était une ruche bourdonnante d'administrateurs efficaces.

Ci-contre, en haut: Las Salinas, vue sur les marais salants. Ils sont exploités depuis les Incas selon des techniques qui n'ont pas changé. Le privilège des autochtones, consistant à avoir leur propre saline, a vraisemblablement toujours été maintenu, même sous la domination des Espagnols. Ceux-ci utilisaient d'énormes quantités de sel pour l'extraction de l'argent, et pour cette raison développèrent cette industrie de manière considérable.

En bas: Moray, le plus vaste des quatre cratères. Les terrasses sont largement incaïques, malgré la présence d'éléments apparemment antérieurs. Elles ont été restaurées il y a quelques années; mais elles sont aujourd'hui négligées et les troupeaux de chèvres et de moutons qui paissent au milieu des ruines les abîment beaucoup.

Les Incas n'avaient pas d'écriture; pourtant leur organisation était remarquable. Les messages étaient transmis oralement et à l'aide d'un système mnémotechnique complexe de cordes nouées de toutes les couleurs, les *quipu*; ces *quipu* servaient également à la comptabilité, aux statistiques, ou à d'autres informations moins matérielles. S'en servir était si compliqué qu'une catégorie spéciale de fonctionnaires avait été mise en place, les *quipamayoc*. Il leur fallait des années pour apprendre à faire les nœuds et à les interpréter; malgré cela, ils avaient souvent besoin d'un message oral pour déchiffrer un nouveau *quipu*.

Ollantaytambo

Ollantaytambo est le dernier site important de la Vallée sacrée, tant par son architecture que par son passé historique. Bâti à un endroit où la rivière Urubamba (antérieurement le Vilcanota) se resserre, à la limite entre les montagnes et la forêt des terres basses, ce village est un point stratégique: il garde toutes les vallées voisines. De même que Pisac, Ollantaytambo était un centre religieux, agricole ed administratif considérable. C'était en plus une forteresse qui, d'après ce que nous en savons, résista victorieusement à deux attaques.

Son nom date du règne de Pachacutec. A cette époque, Ollanta, le vice-roi de l'Antisuyu, et la fille de l'Inca, Cusi Coyllar («Étoile joyeuse») tombèrent amoureux, Pachacutec s'empressa d'emprisonner Cusi Coyllar et son enfant, ce qui poussa Ollanta à se rebeller. Ollanta recruta une armée d'Amazoniens et s'empara du fort, où il résista aux armées inca. A

Ci-contre, en haut, à gauche: Chinchero, entrée d'origine inca, au pied du clocherde l'église.

A droite: Chinchero, une vendeuse de feuilles de coca sur le marché.
Aujourd'hui, comme du temps des Incas, la coca est sacrée, et son commerce représente une part importante de l'économie locale. Seules les vieilles femmes respectées dans leur village ont le droit de la vendre. Du temps de la colonisation, les Espagnols utilisaient énormément la coca pour «rentabiliser» au maximum la main-d'œuvre indigène. De nos jours, le trafic de la cocaïne qui domine l'économie rurale dans bien des régions du Pérou, avec son cortège de mercenaires et de violences, a ruiné la vie des communautés de simples paysans.

En bas: Chinchero, le jour du marché.
Des paysannes indiennes sont appuyées contre un mur qui faisait autrefois partie de l'enceinte du temple, aujourd'hui la place du village.

la mort du vieux souverain, Tupac Yupanqui lui succéda; Ollanta devint moins vigilant et, profitant de cette erreur, les soldats de l'Inca s'emparèrent de la citadelle. Mais Tupac Yupanqui revint sur la décision de son père: il réunit les amoureux et redonna à Ollanta son titre de vice-roi de l'Antisuyu. Depuis lors, la forteresse porta le nom de ce dernier. Cette histoire romanesque est le sujet d'une des rares pièces indigènes qui existent.

Qu'Ollantaytambo ait eu une fonction militaire, cela est clair: la plupart des ruines s'accrochent à un éperon rocheux qui avance dans la fertile vallée, et les rangées de terrasses, dix-sept en tout, qui se haussent de la place du village jusqu'aux crêtes, même vides de farouches guerriers, donnent un léger frisson. Ces terrasses servaient non seulement à défendre la ville, mais aussi à produire les offrandes des sacrifices. A leur pied, on trouve d'autres ruines annexes, dont le Baño de la Ñusta («les Bains de la princesse»), célèbre pour l'harmonie de ses formes. De là, un escalier de pierre monte vers le temple.

Ce qui frappe dans cet ensemble de bâtiments, ce sont six énormes monolithes, chacun de près de trois mètres de haut et de plus de cinquante tonnes, séparés par des joints de pierre de quelques centimètres de largeur. On a du mal à imaginer comment ils purent être amenés de la carrière de Caticancha, située à près de cinq kilomètres de là, de l'autre côté de la rivière. Apparemment, le temple n'était pas terminé à l'époque de la Conquête: des blocs qui devaient servir à la construction sont éparpillés sur le site et sur le chemin qui va de la carrière à Ollantaytambo.

Derrière le temple, on peut voir des greniers, longues bâtisses aux toits inclinés. A l'ouest, là où la pente est plus douce, se dresse un rempart massif qui atteint plus de quatre mètres de haut. En coupant le vent et en captant la chaleur du soleil, il servait peut-être aussi à créer, dans l'aire sacrée et les terrasses en contrebas, un microclimat agréable. D'une ouverture dans ce mur, part un sentier qui grimpe le long de la colline jusqu'à un bâtiment isolé d'où on embrasse toute la vallée. Cette construction comporte de mystérieuses niches de la taille d'un homme, dont on suppose qu'elles servaient à enfermer les prisonniers, hypothèse accréditée par la présence de trous dans les encadrements.

De là, on a un beau point de vue sur la vallée et l'«avenue des Cent-Niches»; c'est aujourd'hui une route qui traverse les ruines d'une énorme bâtisse inca; seul un mur, percé de nombreuses niches, tient encore debout. De ce même endroit, on se rend compte que les rues du village dessinent nettement un trapèze; le tracé d'Ollantaytambo, qui n'a pas été modifié par les Espagnols, montre très bien comment les Incas dressaient les plans de leur cités. Les quartiers portent toujours leur nom d'origine, et les maisons sont encore habitées. On peut voir également des briqueteries, qui puisaient dans le sol argileux les matériaux de construction indispensables à une capitale en pleine expansion. En se promenant derrière le village, on imagine sans peine l'importance d'Ollantaytambo en tant que centre agricole: c'est un des plus vastes ensembles de terrasses irriguées que l'on connaisse.

En remontant la vallée, on peut se rendre aux merveilleuses ruines pré-incaïques de Pumamarca, à deux heures de marche environ d'Ollantaytambo. De la place du village, un chemin longe la rive droite du Patacancha, puis enjambe la rivière, et débouche dans des terrasses inca, qui s'étendent sur une centaine de mètres et sont toujours cultivées par une communauté prospère. A la hauteur de Huiñaypata, le chemin de Pumamarca bifurque vers la gauche. Il suit un mur inca, puis monte à travers un autre ensemble de terrasses, immense mais en partie défiguré par des plantations d'eucalyptus, qui longe sur des kilomètres la rive

En haut à gauche: la ville d'Ollantaytambo et la Vallée sacrée,
vues des ruines en hauteur. En bas de la photo, on distingue le site récemment mis à jour
qui comprend le Baño de la Ñusta.

En haut à droite: Chinchero, l'église, vaste mais très abîmée, qui montre l'importance
de la cité à l'époque espagnole. En dessous, le mur avec ses douze niches faisait partie
d'un temple majeur; la partie supérieure en a été démolie pour bâtir l'église.

En bas: Ollantaytambo, le Baño de la Ñusta, dans le lit de la vallée,
juste à droite de l'entrée du site. Le nom est une création récente, mais ce lieu était
vraisemblablement un bassin rituel et faisait partie d'un sanctuaire.
Cette partie de la cité a été mise à jour à la fin des années 1970.
L'ensemble (bâtiments, canalisations, temples) s'est révélé plus vaste qu'on ne le supposait.

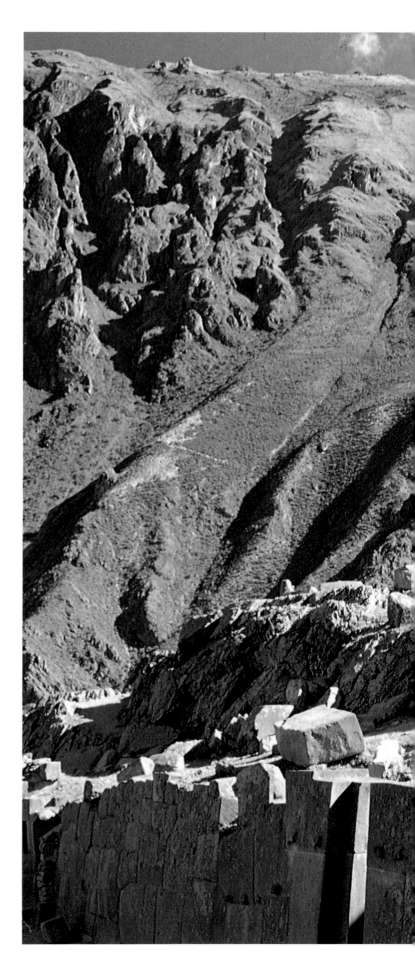

Ollantaytambo: un des énormes blocs de granit rose près du temple principal. La construction de cet ensemble n'était probablement pas achevée à l'arrivée des conquérants: de semblables blocs, en attente d'être mis en place, sont éparpillés à travers le site, et jalonnent la route entre la carrière et Ollantaytambo.

58

gauche de la vallée. De nombreux canaux d'irrigation sont en parfait état, mais ils ont dû être abandonnés: la destruction de la forêt nébuleuse a tari les sources. Les Incas savaient que la fertilité de la terre dépendait étroitement de cet environnement végétal luxuriant, et c'est pourquoi ils préservaient les arbres. Mais les Espagnols commencèrent à déboiser largement le pays, et cela n'a pas cessé depuis.

Bientôt surgissent les ruines de pierres rouges de Pumamarca, agrippées à un éperon rocheux. Les hauts remparts qui entourent le site indiquent clairement qu'il s'agissait d'une forteresse. La maçonnerie de simple terre sèche est pré-incaïque, mais il reste quelques maisons d'adobes, très bien conservées, où subsistent des linteaux en bois au-dessus de portes et de fenêtres trapézoïdales. On a rarement l'occasion de voir des structures en bois aussi anciennes; il est plus vraisemblable qu'elles aient été ajoutées par les Incas, peut-être à l'époque où Manco Inca, installé à Ollantaytambo, fit rénover le fort pour s'y retrancher en cas de besoin. Le site se divise en deux zones: en bas, la forteresse; sur la crête, à une quarantaine de mètres, un petit ensemble sans fortifications.

A notre connaissance, c'est lors de la grande révolte menée par Manco Inca que cette forteresse devait servir pour la seconde fois. Après avoir quitté sa base de Calca, Manco Inca se rendit à Ollantaytambo qu'il jugeait plus facile à défendre. Hernando Pizarro, avec une troupe formée de ses meilleurs soldats, s'engagea dans la «Vallée sacrée», dans l'intention de tuer ou de capturer l'Inca rebelle. Mais il fut épouvanté par la résistance qu'il rencontra: chaque terrasse était bourrée de soldats, certains, recrutés dans la jungle, armés d'arcs, d'autres de frondes ou même d'armes saisies sur des prisonniers espagnols. Les conquistadors durent s'enfuir sous un déluge de flèches et de pierres; alors les hommes de Manco les attaquèrent «en poussant des cris si terribles, qu'on aurait dit que la montagne s'écroulait». Puis ils détournèrent la rivière Patacancha (qui traverse la place du village) pour inonder le champ de bataille et paralyser les chevaux des envahisseurs qui les terrorisaient. Les soldats de Pizarro battirent promptement en retraite. Quand ils revinrent, Manco Inca était parti pour un refuge plus sûr, au cœur de la cordillère du Vilcacamba.

Ci-contre, en haut: sur la route d'Ollantaytambo, des greniers perchés sur l'autre versant de la vallée. Ils étaient probablement utilisés pour stocker des denrées périssables en raison de leur exposition à ces courants d'air frais. Ces magasins, qui font partie du paysage inca, servaient à entreposer les excédents agricoles, tels que maïs, chuna (pommes de terre gelées et séchées), quinoa et d'autres marchandises comme des chaussures et des couvertures en laine, des feuilles de coca, des armes, et même les plumes chatoyantes utilisées dans les costumes cérémoniels. Ils étaient toujours remplis, en prévision des sécheresses et des disettes, ou pour approvisionner des troupes de passage. A l'époque de la Conquête, la guerre civile avait considérablement diminué les stocks; les Espagnols furent néanmoins très impressionnés. Evidemment, ces entrepôts furent pillés par les conquérants et dès lors les simples gens ne furent plus garantis contre les famines, dues à de mauvaises récoltes ou à des catastrophes naturelles.

En bas, à gauche: Pumamarca, intérieur
de la principale aire sacrée. Les niches servaient
probablement à la conservation des momies.
La maçonnerie est nettement antérieure aux Incas,
mais les découvertes archéologiques ont montré
que ceux-ci utilisaient encore le temple.

En bas à droite: Ollantaytambo, détail sur un mur
du temple principal qu'on appelle souvent, peut-être
à tort, le temple du Soleil. Les minces joints de pierre
entre les différents blocs et le motif géométrique en relief
sont les seuls de ce genre dans l'architecture inca, en l'état
actuel de nos connaissances. Plusieurs théories ont été
échafaudées au sujet
de ce motif, mais aucune n'est convaincante.

61

Les «Cités perdues»

Francisco Pizarro mit le champion Atahualpa échec et mat du premier coup: dès la célèbre bataille de Cajamarca, il s'empara du souverain. Malgré les ravages de la guerre civile, l'empire aurait pu mobiliser assez de forces pour triompher des conquistadors. Aussi les Espagnols décidèrent de laisser Atahualpa régner, alors même qu'il était leur prisonnier; ainsi ils obligeaient les Incas à faire eux-mêmes le «travail» des étrangers. Ce «travail» consistait à piller les trésors du Tahuantinsuyu, à réduire la population en esclavage, à détruire l'ordre social et à le remplacer par le leur. Si Atahualpa avait saisi où les Espagnols voulaient en venir, il n'aurait peut-être pas si bien collaboré avec eux.

Mais toute l'histoire de la Conquête montre que les Incas ne comprirent l'ampleur du désastre que lorsqu'il fut trop tard. Atahualpa croyait en sa libération. Il paya intégralement aux occupants la rançon convenue (assez d'or pour remplir toute une pièce), et leur permit de dévaliser les temples les plus sacrés de Cuzco. Puis il commença à avoir des doutes... Il fut condamné à une mort horrible par un semblant de tribunal, où Francisco

Une des vues les plus connues de Machu Picchu: des terrasses supérieures au nord du site, on domine l'ensemble des ruines. Le pic qui surplombe la cité est le Huayna Picchu («la Jeune Cime»). On devine le sentier qui grimpe jusqu'au sommet.

Pizarro tenait lieu de juge. Juste avant de mourir, il se convertit au christianisme, ce qui lui valut la faveur d'être étranglé au lieu d'être brûlé vif. Vu les crimes qu'il avait commis, on peut penser qu'il avait mérité son sort. Mais on ne peut en dire autant de ses sujets, qui se retrouvèrent confrontés à un nouveau système où l'exploitation et l'oppression avaient force de loi.

Le seul but des Espagnols était le pillage, et pourtant ils reçurent un accueil enthousiaste de la population de Cuzco, comme le montre ce récit datant de 1685, qui s'inspire de la chronique de Garcilaso de la Vega: «Les gens allaient à leur rencontre et les accueillaient par de grandes démonstrations de joie, de la musique et des danses [...] Les Espagnols étaient stupéfaits devant la majesté de Cuzco, ses palais immenses et splendides [...], les manières raffinées des nobles et la courtoisie des habitants, tous soucieux de se mettre à leur disposition et de gagner leur faveur.»

Bien sûr l'autorité des envahisseurs reposait sur le fait qu'ils détenaient Atahualpa; mais s'ils étaient si populaires, c'est peut-être surtout parce que les gens de Cuzco considéraient l'Inca comme un usurpateur. En faisant massacrer plusieurs centaines de nobles, partisans de Huascar, et de membres de la famille royale, Atahualpa s'était fait beaucoup d'ennemis dans la capitale. Ceux-ci se souciaient peu que le souverain fût prisonnier; leur idée était que les Espagnols étaient des libérateurs, envoyés par les dieux pour remettre sur le trône Huascar, déposé par son frère mais toujours en vie. Comme le dit José de la Riva Aguero, l'empire était alors «déchiré par la guerre civile sacrilège déclenchée par Atahualpa, un pays moralement déprimé et épuisé [...] La classe dirigeante des Incas accueillit comme des envoyés du Ciel ceux qui, selon toute apparence, venaient les aider à se venger et les sauver de l'extermination, parce qu'elle n'avait pas d'autre choix».

Francisco Pizarro se rendit compte des contradictions internes du Tahuantinsuyu et sut les exploiter. Le meurtre de Huascar, manifestement ordonné par Atahualpa, le rendit furieux: ses possibilités de manœuvrer l'un contre l'autre s'en trouvaient limitées. Aussi fit-il bon accueil à Manco Inca, qui avait soutenu son frère Huascar, lorsqu'il vint le saluer comme le libérateur de Cuzco. Manco, un des deux fils de Huayna Capac encore en vie, jouissait d'une immense popularité à Cuzco; bref, c'était le souverain fantoche idéal. Il fut promptement mis sur le trône, ce qui donna lieu à de grandes réjouissances, aussi bien chez les Indiens que chez les Espagnols. Dès lors, les Espagnols purent compter sur l'appui de Cuzco contre les partisans d'Atahualpa qui constituaient une puissante opposition, malgré la mort de leur chef.

Manco Inca supporta pendant des années les exactions et les insultes des Espagnols, avant de réaliser les vrais motifs de leur présence. A ce moment-là, la grande armée impériale battait déjà de l'aile; cela n'empêcha pas Manco Inca de déclencher un grand soulèvement contre les envahisseurs, pour lequel il mobilisa plus de cent mille hommes. La lutte entre les partisans de Diego de Almagro et ceux de Pizarro rongeait les forces espagnoles de l'intérieur. Malgré tout, la rébellion fut un échec; Manco Inca et quelques-uns de ses hommes ne s'en sortirent que par miracle. Un détachement ennemi les poursuivit jusqu'à Vitcos, à la tête de la vallée du Vilcabamba, mais la découverte inopinée du temple détourna son attention. Pendant qu'il s'occupait des Vierges du Soleil, du *punchao* d'or et d'autres trésors, Manco Inca disparaissait dans une région inaccessible, à l'abri des montagnes. Là, à Vilcabamba, il fonda un royaume indépendant, d'où il pourrait résister à la domination espagnole.

Il avait donc fallu aux nouveaux maîtres cinq ans, ou guère plus, pour réduire l'immense Empire inca à une citadelle perdue au fond de la jungle.

A gauche: les dernières marches du sentier inca qui mène au sommet du Huayña Picchu.

*A droite: Machu Picchu, l'extrêmité sud-est de la cité, vue depuis l'entrée actuelle
dans la zone agricole. Cet ensemble de bâtiments comprend le «temple du Condor».
On l'appelle quelquefois «le quartier des nobles», car l'architecture y est plus soignée
que dans la «zone industrielle» voisine.*

Ils l'avaient pillé, envoyant leur butin en Espagne. En amenant la guerre, la maladie, la famine, ils avaient tué la moitié des habitants; ils avaient massacré les troupeaux de lamas et prélevé comme tributs les semences elles-mêmes. La population avait diminué et pourtant les impôts avaient augmenté; ils ne servaient ni aux travaux publics, ni à approvisionner les greniers: ils remplissaient les poches des Espagnols. Les chrétiens avaient profané les temples et leurs prêtres fanatiques parcouraient le pays pour châtier ceux qui continuaient à pratiquer leur religion. Le nouveau régime avait détruit les anciennes structures administratives, quand il n'avait pu les détourner à son profit.

Le seul espoir de beaucoup d'Indiens était Manco Inca. L'abattre était donc une tâche prioritaire pour les conquistadors. Cela devenait d'autant plus urgent que ses guerriers attaquaient les marchands espagnols sur la grand-route de Lima à Cuzco et que d'autres armées indigènes faisaient des ravages dans les montagnes du Nord et au sud du lac Titicaca. Les révoltes furent écrasées une à une. Des représailles visaient à décourager toute nouvelle tentative: ainsi, au cours d'une expédition de «pacification» qui suivit la mort de deux collecteurs d'impôts, les Espagnols tuèrent six cents enfants âgés de moins de trois ans.

Au début de l'année 1539, Francisco Pizarro avait repoussé Manco Inca jusqu'à Vilcabamba; il monta ensuite une expédition contre lui. Ses troupes rencontrèrent beaucoup de difficultés et subirent de lourdes pertes: les Indiens leur tendirent des embuscades et Vilcabamba, à cause de sa position, était difficile à prendre. Ils réussirent néanmoins à incendier la capitale de Manco et à s'emparer de son épouse-sœur Cura Occlo. Mais, une fois de plus, Manco leur échappa. Les Espagnols lui envoyèrent des ambassadeurs dans les collines où il s'était réfugié: seuls leurs cadavres revinrent, décapités. Fou de rage, Francisco Pizarro fit exécuter tous les chefs locaux qu'il avait faits prisonniers; Cura Occlo fut transpercée de flèches et son corps jeté dans l'Urubamba, Manco retourna à Vilcabamba qu'il entreprit de reconstruire. Il y resta cinq ans, avant d'être assassiné à Vitcos par des hors-la-loi espagnols qui l'avaient rejoint et qui espéraient acheter par ce meurtre la clémence des autorités.

Les Espagnols n'expédièrent plus de troupes à Vilcabamba jusqu'en 1572. Auparavant, ils se contentèrent d'y envoyer des émissaires qui, dans un premier temps, négocièrent le retour à Cuzco du successeur de Manco, Inca Sayri Tupac. Sayri Tupac parti, son frère, Titu Cusi, prit la tête de la résistance: il maintint les traditions et le cérémonies inca, et sauva du pillage un énorme *punchao* d'or qui était l'objet d'une grande vénération. Ses négociations avec l'ennemi n'aboutissaient à aucun accord, mais du moins elles lui faisaient gagner du temps et mettaient les Espagnols aux abois. Cette situation changea du tout au tout à la mort de Titu Cusi, en 1571. L'avènement de Tupac Amaru coïncida avec l'arrivée d'un nouveau vice-roi, Francisco de Toledo. Celui-ci décida qu'il était grand temps d'en finir avec cet affront intolérable à la couronne d'Espagne.

L'expédition rencontra peu de résistance et atteignit Vilcabamba sans grandes pertes, mais ce fut pour trouver une cité entièrement détruite par le feu. Une fois de plus, l'Inca s'était enfui. Ses adversaires n'hésitèrent pas à se lancer à sa poursuite au cœur même de la forêt, et c'est là qu'avec l'aide de prisonniers indiens, ils se saisirent de Tupac Amaru et de sa femme. Ayant obtenu la garantie qu'aucun mal ne leur serait fait, ceux-ci se rendirent et furent ramenés à Cuzco. Pour la deuxième fois, une parodie de procès condamna un Inca à mort; ce jugement consterna les habitants de la capitale. Car non seulement Tupac Amaru était innocent de tout crime, mais encore il était, comme le dit un chroniqueur, «affable, de bonne composition et réservé, éloquent et intelligent»; il ne

Machu Picchu, les «maisons des intendants des terrasses» dans la zone agricole. Les brumes matinales montent de la vallée de l'Urubamba.

Machu Picchu, une soirée en saison des pluies. Un arc-en-ciel jette un pont en travers du cañon de l'Urubamba.

représentait pas un réel danger pour l'ordre espagnol et était pour beaucoup le symbole d'un passé romanesque et mystérieux. Avec son exécution sommaire sur la place d'Armes, ces temps étaient à jamais révolus.

A la recherche de Vilcabamba

Après la mort de Tupac Amaru, Vilcabamba tomba dans l'oubli, et les forêts avoisinantes engloutirent les constructions et les champs abandonnés. Seuls les chroniqueurs faisaient mention de la cité dans leurs écrits, mais ils ne prirent pas garde d'en indiquer la situation exacte. C'est seulement au début de XIXe siècle que des étrangers décidèrent de s'y intéresser. Ils concentrèrent d'abord leurs recherches sur Choquequirau, une ville bâtie, à la fin de l'Empire inca, dans un décor somptueux en bordure de la cordillère du Vilcabamba: un pic couvert de forêts surplombant le cañon de l'Apurímac d'une hauteur de quinze cents mètres. L'expédition, qui eut lieu au début de l'année 1909, comptait parmi ses membres un jeune archéologue américain de l'université de Yale, Hiram Bingham.

Bingham ne croyait pas que Choquequirau fût la capitale de Tupac Amaru; il fut néanmoins impressionné par ce qu'il vit: des montagnes escarpées, couvertes de forêts, et les ruines de «cités perdues», cachées dans l'obscur fouillis de la végétation tropicale. Au milieu de l'année 1911, il monta une deuxième expédition. Alors que l'équipe, partie de Cuzco, descendait la vallée de l'Urubamba depuis quelques jours, un paysan intrigué vint voir ces étrangers de plus près; il leur parla de ruines dans les collines, de l'autre côté la rivière. Le lendemain matin, Bingham partit de bonne heure en reconnaissance; et, sur un grand plateau entre deux montagnes, au milieu d'une épaisse forêt, il découvrit les vestiges d'une petite cité, dont les constructions étaient typiques de l'architecture inca classique. Ces ruines prirent le nom du pic qui se dresse au sud du site, le Machu Picchu («la Vieille Cime»), et devaient devenir les plus célèbres de tout le continent américain.

Bingham continua à descendre l'Urubamba, puis remonta la vallée du Vilcabamba. Des habitants de la région le conduisirent d'abord à Rosaspata. Sur une crête boisée, il y avait un énorme bâtiment, qui faisait plus de soixante-quinze mètres de long, et quatorze constructions plus petites autour d'une vaste place; l'ensemble devait être un palais royal ou un lieu de culte, car la maçonnerie était remarquable. De toute évidence, il s'agissait des ruines de Vitcos, où Manco Inca avait été assassiné par les Espagnols qu'il protégeait. Pour appuyer sa thèse, Bingham chercha le temple du Soleil, que les chroniqueurs désignaient comme «le centre de l'idolâtrie à la fin de l'Empire inca». Il le trouva: un gigantesque monolithe de granit blanc au milieu d'un bassin plus sombre, entouré d'éléments de temple. De même qu'à Quenqo, des gradins avaient été taillés dans la pierre, ainsi que des rigoles, très travaillées, destinées à recevoir la *chicha* et le sang des animaux immolés.

Bingham redescendit vers les basses terres et la chaude vallée de Pampaconas. A Espíritu Pampa («la Plaine des esprits»), il parvint aux ruines d'une vaste cité inca, noyées dans un enchevêtrement de lianes et d'arbres arc-boutés sur leurs racines. Mais Bingham n'explora qu'un coin du site, à la périphérie, et ne se rendit pas compte de sa superficie réelle. Il nota par contre la présence de tuiles rouges, introduites dans les toitures par les Espagnols; il data donc la cité d'une époque bien ultérieure à la Conquête. Comme ses coéquipiers commençaient à être fatigués, et que

*Machu Picchu: vue du pic Huayna Picchu. La route en lacets qui monte de la gare porte
le nom de Hiram Bingham, en hommage à l'archéologue qui découvrit ce site.
Les gens du coin trouvent que les virages dessinent
des silhouettes de femmes enceintes. L'originalité de cette
photo est de montrer nettement la division entre le centre de la ville et la zone agricole.*

lui-même avait hâte de voir où en étaient les travaux de déblaiement à Machu Picchu, ils quittèrent Espíritu Pampa. Le mois de recherches qui s'achevait là avait été l'un des plus fructueux de toute l'histoire de l'archéologie.

Machu Picchu

De nos jours, il est plus aisé pour le visiteur d'accéder à Machu Picchu que cela ne le fut pour Hiram Bingham en 1911. Depuis Cuzco, on s'y rend en autorail, par une voie, large de moins d'un mètre, qui longe la vallée de l'Urubamba jusqu'à une gare au pied de la «Vieille Cime». De là, une route coupe à travers la montagne, et des minibus font la navette. La route débouche malheureusement sur un hôtel et d'autres constructions modernes, qui ont l'air bien banal dans un pareil décor. Les travaux de déblaiement et les fouilles ont duré des années; et il est aujourd'hui facile de trouver son chemin jusqu'aux différents points de vue, qui donnent de l'ensemble des ruines une idée aussi précise que le ferait une carte. Ce n'était pas le cas quand Hiram Bingham les découvrit au milieu d'un fouillis inextricable d'arbres et de lianes.

Le progrès des connaissances historiques et archéologiques a démenti des affirmations incontestées pendant des années. Par exemple, on pensait que Machu Picchu datait des Incas; mais, à la fin de l'année 1988, l'analyse du Carbone 14 a montré que ce site était occupé dès 800 apr. J.-C., six cents ans avant que les Incas ne colonisent cette région. Une sépulture aurait même deux mille ans. On a cru aussi pendant longtemps que Machu Picchu était une cité isolée en pleine forêt; en fait, toute cette zone est couverte de ruines, reliées entre elles par des routes empierrées. Et on ne cesse de faire des découvertes, chaque fois que les finances permettent d'entreprendre de nouvelles fouilles. Tout récemment, on a trouvé un gigantesque escalier de pierre qui grimpe, sur plusieurs centaines de mètres, le versant de la vallée, ainsi que plusieurs temples et des terrasses destinées aux cérémonies, au bas des pentes du Huayna Picchu, le pic qui surplombe le site au nord. En l'absence de crédits, il a fallu les abandonner à la jungle.

Bingham et beaucoup d'autres étaient convaincus que Machu Picchu était la capitale de Manco Inca, Vilcabamba. Mais, en 1964, Gene Savoy, un autre archéologue américain, organisa une expédition à Espíritu Pampa et parvint à une évidence décisive: Bingham s'était trompé de ruines! Savoy fit dégager la totalité des vestiges; la plus grande partie des constructions se trouvait à quatre cents mètres de l'endroit où Bingham avait entrepris ses fouilles et l'ensemble du site s'étendait sur une distance de huit cents mètres. Il trouva des preuves supplémentaires dans plusieurs lettres et chroniques, dont beaucoup étaient ignorées de Bingham. Le mystère de Vilcabamba était éclairci; celui de Machu Picchu ne faisait que s'épaissir.

Machu Picchu était certainement une des plaques tournantes du Tahuantinsuyu, non seulement une riche zone agraire grâce à son climat subtropical, mais encore une résidence royale et un foyer religieux. L'emplacement choisi pour sa construction, le nombre de temples, la qualité des édifices, ne laissent aucun doute. L'architecture est d'un style tardif, vraisemblablement du dernier siècle de l'Empire inca. Apparemment Machu Picchu était à la fois un des sièges du pouvoir royal et un lieu saint, comme Pisac ou Ollantaytambo. Mais la cité ne devait plus avoir cette importance au moment de la Conquête, puisque les Espagnols ignoraient, semble-t-il, son existence. A cette époque, les Incas devaient considérer Machu Picchu comme une ville mineure; peut-être même l'avaient-ils abandonnée et totalement oubliée.

Machu Picchu: la «loge du gardien», au sommet des terrasses agricoles, d'où on pouvait surveiller les environs ou, peut-être, faire des signaux.

Plus loin, sur les pentes boisées du Huayna Picchu («la Jeune Cime»), des fouilles ont permis récemment de dégager une catacombe; la perfection des murs et des deux registres d'arches indique qu'il s'agissait d'une tombe royale. Sa construction a été bizarrement abandonnée à la moitié des travaux, peut-être parce que la personne à qui ce tombeau était destiné mourut prématurément et fut enterrée ailleurs. Huayna Capac passa la fin de sa vie dans le Nord, à Quito. Il avait longtemps songé à revenir à Cuzco, mais le climat froid et sec de la capitale l'en avait dissuadé. Toutefois, il a pu faire bâtir Machu Picchu dans l'éventualité de son retour; c'est une hypothèse. C'était déjà un des plus gros centres agricoles, approvisionnant Cuzco; le site était superbe, et le climat humide et doux. Mais Huayna Capac ne put réaliser son projet, car il mourut lors de l'épidémie de variole. Après ses funérailles, les Incas abandonnèrent Machu Picchu en signe de deuil. Ils rapatrièrent les trésors à Cuzco, dispersèrent les prêtres et les Vierges du Soleil dans d'autres temples, et enrôlèrent la main-d'œuvre dans l'armée que Huascar avait levée contre Atahualpa. Ainsi, huit ans avant la Conquête, le monde avait déjà perdu Machu Picchu.

Bien entendu, notre théorie, comme toutes celles qui ont été échafaudées, n'a jamais été confirmée. Ce qui est quasiment sûr, c'est que Pachacutec fut le premier Inca à développer cette région, une de ses conquêtes initiales. En dehors de ce fait, nous ignorons tout de l'histoire et du rôle de Machu Picchu.

La plupart des touristes arrivent à Machu Picchu par le train du matin et repartent l'après-midi, ce qui ne leur laisse que quatre heures pour visiter les ruines. C'est un peu court; il faut bien deux jours pour explorer ce site et quelques autres, intéressants, dans les environs immédiats. Mieux vaut être à pied d'œuvre très tôt, avant que les trains et les bus n'amènent leurs flots de visiteurs. A partir d'Aguas Calientes, il faut une bonne demi-heure de grimpée le long d'un sentier abrupt.

Ci-contre, en haut: Machu Picchu, la «pierre funéraire», dans la partie sud du cimetière, près de la «loge du gardien». Cette pierre, sculptée sur place, aurait servi à exposer les morts et à les embaumer.

En bas à gauche: Machu Picchu, l'Intihuatana («l'endroit où le soleil se fixe»). On rencontre ces Intihuatana dans tous les sites importants. Mais, comme les Espagnols s'acharnèrent à démolir tous ceux qu'ils trouvaient pour «extirper l'idolâtrie», celui-ci est le mieux conservé.

En bas, à droite: Machu Picchu, une petite enceinte taillée dans le roc, au-dessous et à l'ouest de la «zone industrielle». Elle fait partie d'un ensemble qu'on appelle parfois «le cimetière inférieur». Comme la «pierre funéraire» du cimetière principal, on pense, sans pouvoir l'affirmer, qu'elle servait à exposer et à embaumer les corps.

La «zone industrielle»,
vue du «temple aux Trois-Fenêtres»,
de l'autre côté de l'esplanade.

L'entrée principale est aujourd'hui dans la partie basse du site, à l'extrêmité sud-est. On pénètre dans un petit groupe d'habitations, appelées «les maisons des intendants des terrasses», construites en bordure des cultures, au sud du principal secteur urbain. Certaines d'entre elles ont été restaurées et couvertes de toits pentus en chaume, fixés par des courroies de cuir. Ce sont des maisons très simples, qui logeaient vraisemblablement les ouvriers agricoles, trop pauvres pour vivre dans les beaux quartiers du centre.

Pour se faire une idée de la configuration des lieux, on peut commencer la visite par la «loge du gardien», d'où on a une bonne vision d'ensemble. Depuis la nouvelle entrée, il suffit de traverser les premières terrasses et de monter tout droit jusqu'à un escalier, en haut duquel se trouve cette petite maison au toit de chaume. Derrière la loge, s'étend un cimitière, où l'on a découvert de nombreux ossements humains. De l'ancienne entrée principale de la ville, qui se situe au nord-ouest des terrasses, un fossé dévale la pente, longé par un grand escalier de pierre; il séparait autrefois le centre de la ville de la zone agricole.

La ville se divise en deux quartiers principaux, de part et d'autre d'une vaste esplanade couverte d'herbe, utilisée probablement pour les cérémonies religieuses et autres rassemblements. L'aire sacrée, reconnaissable à l'architecture soignée des temples et des palais, se situe à l'ouest de la grand-place, à gauche donc si on la regarde de la «loge du gardien». La porte principale donne accès à un ensemble de maisons essentiellement fonctionnelles, peut-être les logements des ouvriers qualifiés: les manœuvres habitaient plutôt des huttes en adobes. Juste à l'ouest, une zone d'affleurements rocheux servait de carrière.

A l'est du quartier ouvrier, un ensemble plus élégant inclut le temple du Soleil, appelé aussi le Torreón, le seul édifice circulaire de Machu Picchu, bâti solidement sur la roche. En dessous, une caverne, surnommée «le tombeau de l'Inca», servait à entreposer les momies. Au nord du temple, on pénètre dans une cour où des bassins rituels et un système compliqué de canalisations devaient servir au culte; un escalier conduit à une demeure massive, le palais de l'Inca. Jadis, l'eau courait le long d'un aqueduc; elle a été canalisée pour alimenter l'hôtel. D'autres édifices sont supposés être le palais de la princesse et la maison du gardien de la fontaine, mais cela n'est pas certain.

Toujours à l'ouest de l'esplanade, mais plus au nord, trois bâtiments s'ouvrent sur une cour grossièrement carrée; on les a baptisés «le temple aux Troix-Fenêtres», «le temple principal» et «la sacristie». On peut y admirer quelques-uns des plus beaux fleurons de la maçonnerie inca, comme le bloc taillé comportant trente-deux côtés qui se trouve dans la porte entre le «temple principal» et la «sacristie». On passe de ce complexe dans le temple de l'*intihuatana*, le Saint des Saints. Au milieu, se dresse l'*intihuatana*, un bloc de granit gris d'un mètre quatre-vingts, magnifiquement sculpté, au centre duquel une petite colonne élégante servait à mesurer les mouvements du Soleil, de la Lune et des étoiles.

Le quartier de l'autre côté de la place comprend aussi un ensemble de logements populaires; il n'a pas le caractère sacré du quartier ouest, malgré la présence d'un petit sanctuaire à la Lune, au nord, sur le chemin du Huayna Picchu. Plus loin, dans la même direction, se découpe la silhouette de la «Pierre sacrée», un monolithe plat reposant sur sa tranche, en parfaite harmonie avec les montagnes environnantes. Si l'on revient sur ses pas, en direction de l'actuelle entrée, on pénètre dans la «zone industrielle», où vivaient, semble-t-il, les artisans ou l'aristocratie ouvrière. Les murs dans tous ces quartiers sont de facture grossière, sauf ceux qui font face à l'esplanade. A l'époque où ce livre a été écrit, on était en train

L'ancienne entrée principale de Machu Picchu, vue de l'intérieur
de l'enceinte: en arrière-plan, les terrasses de cultures. La porte était en bois;
les trous de chaque côté devaient servir
à l'accrocher et à l'attacher solidement en cas de besoin.

Page suivante: Machu Picchu, l'extrêmité sud-est
dans les brumes du petit matin, vue depuis la nouvelle entrée.

de démolir complètement et de reconstruire les bâtiments de la partie basse du quartier est; vu l'insuffisance des crédits, on se demande s'ils ne seraient pas mieux employés à protéger des sites réellement en péril.

A l'extrêmité sud-est de la cité, la «prison» fait partie des dernières bâtisses; en fait, il s'agissait sans doute d'un temple. Dans la salle souterraine, une silhouette gravée dans le sol évoque un condor; c'est pourquoi on appelle aussi cette construction «le temple du Condor».

Le pic qui surplombe le site au nord est le Huayna Picchu; les Incas ont taillé dans l'abrupte paroi rocheuse un sentier qui mène jusqu'au sommet. Si vous avez le vertige, il vaut mieux vous abstenir de grimper; l'ascension prend au moins deux heures. A l'approche du sommet, on découvre avec stupeur d'étroites terrasses, sans doute à vocation sacrée: on imagine mal des terrains de cultures aussi difficiles d'accès. Une autre piste qui conduisait au temple de la Lune qui domine la vallée de l'Urubamba, sur l'autre versant du Huayna Picchu, est aujourd'hui fermée.

L'ascension du Machu Picchu est plus difficile. Il faut emprunter la route inca qui passe en contrebas et un peu à l'est de la «loge du gardien», puis longe une zone de vastes terrasses avant de s'enfoncer dans une steppe d'arbustes épineux. Intipunktu est un but d'excursion plus facilement accessible: il suffit de suivre une route empierrée pendant trois kilomètres. Intipunktu («la Porte du Soleil») possède quelques bâtiments incaïques, mais surtout on y a de magnifiques points de vue sur le Machu Picchu, ce qui mérite un détour. En continuant sur ce chemin, et à deux heures environ de Machu Picchu, on aboutit aux ruines de Huiñay Huayna, dont le nom vient de la Toujours-Jeune, une variété d'orchidée de la région (voir page 85).

Sur la piste des Incas

«Une des choses qui me faisaient le plus question [...] était comment ils avaient pu construire ces grand-routes admirables que nous voyions partout [...]. Ces routes si longues, l'une d'elles faisait plus de onze cents lieues, franchissaient des montagnes terrifiantes, si accidentées que, par endroits, on ne voyait même pas le fond de l'abîme; certaines pentes étaient si abruptes et si dénudées qu'ils avaient dû tailler la voie à même la roche dure pour qu'elle soit de niveau et d'une largeur suffisante [...] les mots me manquent pour décrire à quoi elles ressemblaient, quand nous les découvrîmes [...].»

Ce sont les mots du chroniqueur Cieza de León, qui arriva au Pérou suffisamment tôt pour pouvoir admirer les merveilles du Tahuantinsuyu. Pour ceux qui voudraient vérifier eux-mêmes l'exactitude de ses propos, voici un autre itinéraire pour se rendre à Machu Picchu: le «chemin des Incas». A partir d'Ollantaytambo (précisément du kilomètre 88, un peu après la sortie), il faut compter trois jours de marche. Son nom est trompeur: ce n'est en fait qu'une voie inca comme tant d'autres qui traversent les Andes. Il est bien entretenu, et permet de se rendre compte de la diversité des climats et des paysages, et aussi de visiter quelques beaux sites archéologiques avant d'arriver à Machu Picchu.

C'est Hiram Bingham qui découvrit le «chemin des Incas» et la plupart de ces sites, lors de son expédition de 1915. Plus tard, en 1940-1941, Paul Fejos, à la tête d'une expédition qui comptait neuf cents participants, dégagea la plus grande partie de la piste et trouva les ruines de Huiñay Huayna et Intipata («la Colline du Soleil»).

Les premières ruines, celles de Llactapata, surplombent la vallée de l'Urubamba. Il s'agit d'une place trapézoïdale, entourée de bâtiments et

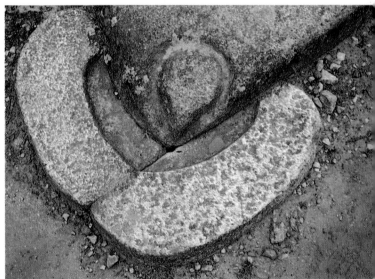

A gauche: les ruines d'un petit ensemble près du pic Huayna Picchu. C'était peut-être un temple, un poste de guet ou de signalisation, vraisemblablement les trois à la fois.

En haut: l'enceinte de l'aire sacrée autour de l'intihuatana, vue de la grande esplanade.

En bas: le «temple du Condor», le bec du condor.
La sculpture représente-t-elle réellement un condor? C'est discutable;
certains archéologues pensent qu'il s'agit plutôt d'un symbole, plus abstrait, de la fertilité.

81

de cours, au milieu d'une colline couverte de terrasses irriguées. A quelques centaines de mètres, au nord- ouest, les vestiges de Pultipuyoc, dont une grande tour ronde contenant un *huaca*, viennent d'être restaurés. Grâce au Plan Cusicacha, des fouilles ont été entreprises dans ces terrasses et des canalisations ont été remises en état. On pense qu'une grande partie des murets a été construite plusieurs centaines d'années avant l'arrivée des Incas.

A partir de là, la pente devient assez raide; puis le chemin fait un détour par la gauche, jusqu'au *tambo* en ruines de Paucarcancha. Situé le long de la route inca qui, partant de Cuzco, franchit le pic de Salcantay, et en bordure de deux rivières, ce relais de voyageurs se présente comme un bastion entouré de deux remparts solides; sept terrasses s'élèvent par paliers jusqu'à un pic en arrière-plan. Le «chemin des Incas» continue vers l'ouest, traverse une forêt noyée dans la brume, débouche dans une zone montagneuse désolée, puis grimpe jusqu'au col, d'où on distingue au loin les ruines de Runturacay («l'Abri en forme d'œuf»). Le chemin plonge alors dans la vallée, puis recommence à monter jusqu'à Runturacay, qui se compose d'un grand bâtiment ovale et d'une structure rectangulaire plus petite en contrebas. Le choix du site, superbe, indique qu'il s'agissait non seulement d'un relais, mais aussi d'un poste de guet; les deux murs d'enceinte, massifs, suggèrent un ouvrage de défense.

Après Runturacay, on continue de grimper jusqu'à un second col. On aperçoit alors les ruines de Sayacmarca sur un promontoire rocheux. On ne peut y accéder que par un grand escalier de pierre qui aboutit à une plateforme. Juste en dessous, se trouve la place centrale, entourée d'une multitude de bâtiments; à l'ouest de la place, trois des murs d'une tour ovale sont encore debout. Un aqueduc traverse le site, de la zone ouest jusqu'au centre; il alimente trois bassins rituels, reliés par une canalisation souterraine, et un quatrième, excentré, qui vient juste d'être découvert. L'absence de terrasses de cultures est étonnante; Sayacmarca devait être approvisionné par un autre village. Protégé de tous côtés par des à-pic, c'était probablement un poste de gardes qui surveillaient les allées et venues sur la grand-route.

Après Sayacmarca, le chemin franchit un troisième défilé. A un endroit, pour éviter de longer le précipice, les Incas ont élargi une fissure de la paroi en un tunnel de dix-huit mètres de long. Depuis le col, on a un excellent point de vue sur la vallée de l'Urubamba. En redescendant, le chemin arrive bientôt à Phuyupatamarca («la Ville des nuages»). La partie sud-est du site se compose d'un énorme *huaca* et de six bassins rituels, alimentés directement par un ruisseau. Au nord-est du *huaca*, des terrasses, reliées par des escaliers en pierre, épousent les contours du relief.

Ci-contre: le pont inca, à 1,5 kilomètre environ de Machu Picchu, sur le chemin qui part de la «Loge du gardien» en direction de l'ouest. Ce pont, qui enjambe un vide infranchissable, était un ouvrage de défense: il pouvait être levé à l'approche de l'ennemi.

Le sommet du promontoire a été aplani et constitue la place principale; une porte à double jambage signale que l'on pénètre dans un lieu saint. Les habitants avaient entrepris de construire un temple, mais les travaux ont été visiblement arrêtés, et on ne trouve aucun bloc en attente d'être posé. A l'extrêmité sud-ouest du site, un escalier de pierre, qui descend toute la montagne, permet de se rendre directement à Huiñay Huayna.

Cet escalier longe une petite grotte, divisée par un mur troué de niches, s'engouffre dans un tunnel, puis traverse une forêt. Enfin, il débouche, au sud du «chemin des Incas», dans la partie nord du site: une zone de terrasses dont une dizaine seulement est visible; les autres sont encore enfouies dans les arbres. Puis il conduit au sommet de l'éperon rocheux, où une tour massive, semi-circulaire, semble surveiller le site de ses trois fenêtres; à droite, une petite cascade jaillit d'entre les arbres. On peut voir plusieurs bassins rituels: l'un se trouve à l'intérieur des bâtiments derrière la tour; plus bas, dix autres, en enfilade, jalonnent l'escalier. Celui-ci redescend à travers les terrasses, jusqu'à une petite zone urbaine, centrée autour d'une place et de deux constructions à larges façades. A l'est, une plate-forme en pierre impressionnante surplombe un précipice de plus de cent cinquante mètres.

Depuis Huiñay Huayna, il faut compter quatre heures de marche pour rejoindre Intipunktu et Machu Picchu. Si l'on n'est pas pressé, cela vaut la peine de faire un crochet par Intipata, sur le chemin d'Intipunktu. Intipata était un centre agricole important et ses terrasses, très étendues, couvrent toute une colline.

Autour de Machu Picchu, trente-deux mille six cents hectares de forêts ont été décrétés «sanctuaire historique». Mais les feux que les colons allument sans autorisation font des dégâts considérables; quand on arrive par le train, on peut voir que certaines pentes sont complètement brûlées. En dehors de cette zone protégée, la situation est encore pire: de grands pans de forêt sont brûlés pour créer des pâtures ou des plantations de bananiers, de manguiers, de maïs et même de coca, bien qu'elle soit interdite. Chaque route nouvelle amène un flot de nouveaux paysans, sans moyens et sans le savoir-faire des Incas pour travailler et irriguer des terres aussi difficiles. Le gouvernement péruvien ne peut pas, ou ne veut pas, prendre de mesures.

Il faut malheureusement constater que la destruction de l'environnement, qui a commencé avec la conquête espagnole, continue aujourd'hui; elle aboutira peut-être à la catastrophe: la désertification des terres et la famine pour les communautés agraires. Aussi garde-t-on de Machu Picchu un souvenir inoubliable, mais amer.

Huiñay Huayna, la zone urbaine; sur la droite, des bassins rituels s'étagent à flanc de colline. Le nom de ce site signifie «la Toujours-Jeune»; c'est aussi celui d'une orchidée qui ne pousse que dans cette région.

Machu Picchu, la carrière. La «Roche non taillée» montre comment les carriers inca fendaient les pierres en utilisant des coins en bois pour en élargir les fissures naturelles. En fait, il s'agit vraisemblablement du travail d'un archéologue qui faisait partie de l'expédition de Bingham, qui voulait tester leur méthode.

Ci-contre: Machu Picchu, le plan d'ensemble de la cité indique les différentes zones et constructions mentionnées dans le texte. La carte dans la vignette permet de s'orienter et de situer les ruines par rapport à l'hôtel, la route, et les environs.

1 «Pierre sacrée»

2 Sanctuaire de la Lune

3 Esplanade (grand-place)

4 Ensemble de Trois-Portes

5 «Zone industrielle»

6 «Prison» ou «temple du Condor»

7 Fossé séparant le centre de la ville et la zone agricole

8 Zone agricole

9 «Maisons des intendants des terrasses» et nouvelle entrée

10 «Pierre funéraire»

11 Cimitière

12 «Loge du gardien»

13 Ancienne entrée principale

14 Palais de la princesse

15 Temple du Soleil (ou Torreón); «tombeau de l'Inca»

16 Carrière

17 «Sacristie»

18 «Temple aux Trois-Fenêtres»

19 «Temple principal»

20 Intihuatana

MACHU PICCHU

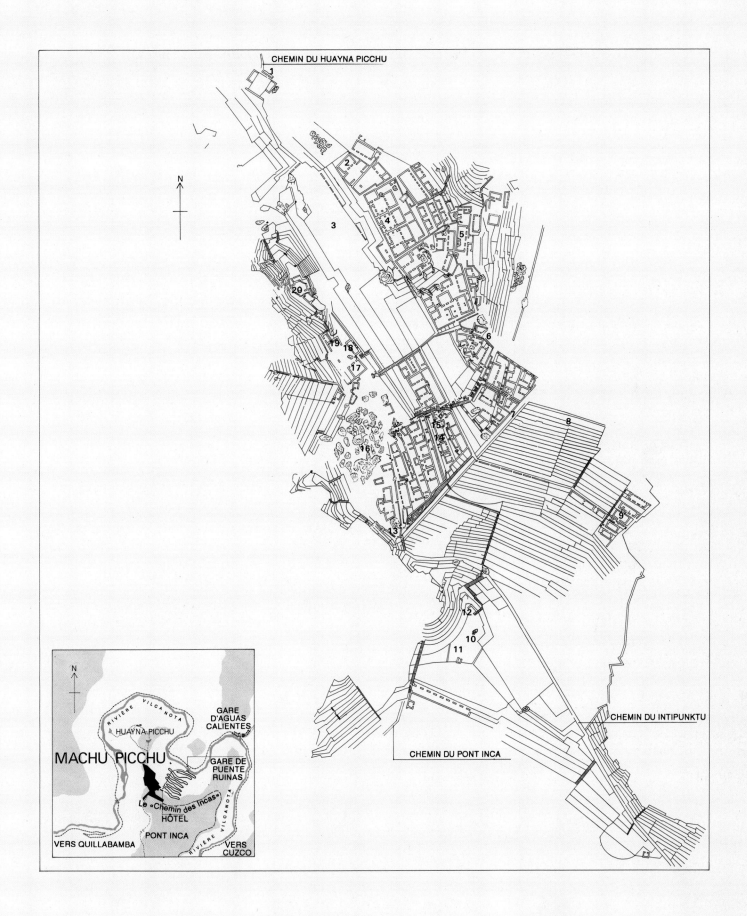

N

CHEMIN DU INTIPUNKTU

CHEMIN DU PONT INCA

N

RIVIÈRE VILCANOTA

HUAYNA PICCHU

MACHU PICCHU

GARE D'AGUAS CALIENTES

GARE DE PUENTE RUINAS

Le «Chemin des Incas»
HÔTEL

PONT INCA

RIVIÈRE VILCANOTA

VERS QUILLABAMBA

VERS CUZCO

La Nouvelle-Castille

En mars 1534, Francisco Pizarro baptisa officiellement le Tahuantinsuyu «la Nouvelle-Castille». Les Indiens étaient désormais à la merci d'une puissance belliqueuse et rapace dont la seule intention était d'occuper le pays et d'en exploiter les habitants. L'effondrement de l'Empire inca s'explique en partie par des failles du système; mais c'est aussi de l'autre côté de l'Océan, au royaume de Castille, que la Conquête plonge ses racines. C'est en repoussant les Maures de la péninsule ibérique que ce royaume s'était édifié. Una fois cette longue Reconquête, commencée dès le Moyen Age, achevée, l'aristocratie et les soldats démobilisés portèrent naturellement leurs regards vers d'autres horizons. Les ravages causés par la peste noire dans l'économie et la société espagnoles leur donnaient des raisons supplémentaires de partir. Enfin les progrès de la navigation et de la construction navale permettaient aux aventuriers et aux grands voyageurs des traversées jusque-là impossibles.

Les découvreurs portugais tracèrent la voie; les conquistadors castillans les imitèrent bientôt, et s'installèrent aux Antilles dès le début du XVIe siècle. Ceux qui partaient étaient des soldats de métier aguerris, mais aussi des paysans ou des artisans. Gloire et fortune personnelles étaient la première ambition de tous ces hommes; mais une profonde loyauté les unissait à leurs compagnons et à leur capitaine. La couronne d'Espagne et l'Eglise, quoique de loin, jouèrent un rôle prépondérant dans cette entreprise; sans leur appui, la Conquête ne pouvait avoir de légitimité, ni d'autorité morale. Un peu comme l'Inca, le roi d'Espagne était considéré comme le représentant de Dieu sur terre; il était le pivot de tout le système social. Chaque capitaine qui embarquait recevait une sorte de contrat, appelé «lettre de capitulation», qui répartissait la terre et le butin entre les deux contractants: le conquistador et la couronne.

Cuzco: la place d'Armes vue du nord-est. Le dôme qui surplombe les toits est celui de l'église de San Francisco.

Dès 1519, les Espagnols entreprirent une politique de conquête systématique. A partir de leurs bases dans la mer des Caraïbes, ils lancèrent deux grandes offensives: l'une au Mexique, où ils écrasèrent les Aztèques en 1521; l'autre le long de la côte pacifique, à partir de Panama et en direction de l'Empire inca. Vers 1540, les Espagnols et le Portugais contrôlaient la majeure partie de l'Amérique centrale et de l'Amérique du Sud. En 1519, le royaume de Castille comptait quelque six millions de sujets; grâce aux efforts de dix mille hommes seulement, il en avait englobé cinquante millions de plus. Mais la maladie et les privations devaient faire des coupes sombres dans les populations indiennes.

Le mécanismes de l'administration coloniale étaient complexes. En théorie, l'autorité suprême appartenait au vice-roi, représentant direct du roi d'Espagne. En fait, ses fonctions étaient très limitées par l'Eglise et l'Audience, une juridiction qui jouissait de pouvoirs très-étendus, y compris celui de communiquer au roi des rapports sur les agissements de son envoyé. Les civils et le clergé exerçaient leur autorité grâce à des bureaucraties qu'ils prétendaient efficaces, mais qui en fait étaient surtout parasites.

Dans les provinces, la colonisation était basée sur le régime de l'*encomienda*. Tous les Indiens d'une zone donnée payaient des tributs à l'*encomendero*, le maître espagnol. En retour, celui-ci était chargé de leur évangélisation. Il menait grand train, laissant à un chef autochtone, le *curaca*, le soin d'exploiter la terre et les paysans. Dans les faits, ce système donna lieu à de terribles abus. Un fonctionnaire, envoyé d'Espagne pour étudier la vie des indigènes, la décrit en ces mots: «[...] ils mènent l'existence la plus misérable et la plus abominable qui se puisse voir sur terre. Tant qu'ils sont en bonne santé, ils s'épuisent au travail, sans autre bénéfice que de payer les tributs. Même souffrants, ils n'ont pas de répit; la plupart succombent à la première maladie, même bénigne [...]».

La situation dans les mines d'argent de Potosí et celles de mercure de Huancavelica était encore plus épouvantable. Une année de travail dans ces conditions équivalait à une condamnation à mort. Aucun Indien n'y allait de son plein gré; les Espagnols recrutaient de force un certain nombre d'hommes dans chaque communauté, adaptant à leur profit le système inca de la *mita*. L'exploitation des minerais exigeait de plus en plus de main-d'œuvre, alors que la population ne cessait de décroître; et la *mita* devint une des causes principales de la mortalité, juste après les maladies et la famine. Le vice-roi, Francisco de Toledo, tenta de garantir par des lois les droits des indigènes, mais il ne pouvait changer le système: pour le roi d'Espagne, la Nouvelle-Castille devait être avant tout une réserve de métaux précieux.

Cuzco à l'époque coloniale

Dans les premières années de la colonisation, Cuzco joua un rôle décisif, à la fois dans les luttes de pouvoir entre les conquistadors eux-mêmes et comme centre des opérations contre la résistance inca. Mais la Nouvelle-Castille, dont la vocation était l'exportation vers l'Espagne, avait besoin d'une nouvelle capitale, plus proche du littoral: en 1535 Pizarro fonda Lima, Cuzco ne fut plus qu'une métropole de province, le centre régional des impôts, et une étape sur la route des marchands entre Lima, les mines d'argent du Potosí et Buenos Aires. Sa mission historique achevée, l'ancienne capitale plongea dans une «longue torpeur», dont elle ne sortit

Cuzco: un des tableaux de la cathédrale. Ce tableau aurait été peint par don Alonso Cortés de Monroy à l'époque du terrible séisme de 1650. Au premier plan, une foule s'assemble sur la place d'Armes autour du crucifix du Señor de los Temblores (le Christ des Tremblements de terre). On croit que cette peinture, envoyée à Cuzco par l'empereur Charles Quint, a miraculeusement empêché la cathédrale d'être détruite. Chaque lundi de Pâques, on sort le tableau en procession à travers les rues de la ville, pour commémorer cet événement.

*En haut: Cuzco, la cathédrale. La grosse cloche
de l'Assomption ne put être coulée qu'après plusieurs
tentatives infructueuses; elle fut consacrée
en 1666.
En bas: Andahuaylillas, détail du plafond
de l'église. Les décorations géométriques dénotent
une forte influence mudéjare.
Page ci-contre, en haut: église du Triunfo,
le crucifix d'argent qui surmonte le maître-autel.
Il s'agirait de la Croix de la Conquête que frère
Valverde, un conquistador, présenta à Atahualpa
lors de leur entrevue, juste avant la bataille
au cours de laquelle l'Inca fut fait prisonnier.
En bas, à gauche: Andahuaylillas, l'autel
baroque. La profusion des ornementations,
la décoration flamboyante des différents registres
sont typiques de ce style.
En bas, à droite: la cathédrale, chapelle du Señor
de los Temblores. Ce Christ est toujours l'objet
d'une dévotion sans bornes; c'est un but
de pèlerinage pour les habitants de toute la région
de Cuzco, qui viennent parfois de loin pour lui
demander de faire un miracle. Cette chapelle
et l'autel qui s'y trouve tranchent avec le reste
de la cathédrale par leur dépouillement relatif.*

vraiment qu'en 1780, lorqu'une armée de paysans s'insurgea contre la tutelle espagnole. Cette révolte était dirigée par José Gabriel Tupac Amaru, un cacique indien, descendant direct de Manco Inca. En 1821, les armées qui se battaient pour l'indépendance du Pérou s'emparèrent de Lima; le vice-roi s'installa alors à Cuzco, qui revint pour un temps sur le devant de la scène. En dehors de ces événements, rien ne devait troubler sa tranquillité.

L'édification de la ville coloniale ne commença vraiment qu'après l'échec du grand soulèvement indien conduit par Manco Inca. La plupart des bâtiments inca étaient en ruines et les Espagnols durent rebâtir la cité; les murs intacts servirent de fondations, ou furent démolis pour fournir des pierres. Les occupants rêvaient d'une capitale qui serait la réplique aussi exacte que possible d'une ville d'Espagne. En fait, l'architecture coloniale se différencia totalement du modèle initial, ne serait-ce que par le mélange entre constructions nouvelles et fondations incaïques. De surcroît, les courants artistiques mettaient au moins cinquante ans à parvenir de la métropole. Enfin et surtout, les artisans locaux, riches de traditions, conservaient leur façon originale de travailler la pierre, même sous la direction de maîtres étrangers. Cuzco est le meilleur exemple de ce style composite où l'art espagnol et l'art inca se mêlent, de manière parfois inextricable.

Une grande partie de la ville, et en particulier des premières constructions coloniales, fut rasée lors du terrible séisme de 1650, mais les murs inca restèrent debout. Cela servit de leçon, et dès lors on construisit des bâtiments bas et massifs, qui ont l'air d'avoir été aplatis si on les compare aux originaux espagnols. Le style colonial de la première époque s'inspirait nettement de l'architecture hispano-mauresque (ou mudéjare) traditionnelle, née de l'occupation de la péninsule ibérique par les Arabes. Cette influence est sensible dans les revêtements à motifs géométriques des églises les plus anciennes. On rencontre plus rarement des éléments gothiques, comme les ogives ou les nervures profilées. Mais peu après la Conquête, inspiré par les débuts de la Renaissance italienne, se développa le style plateresque, qui évoque effectivement le travail des orfèvres comme son nom l'indique: *platería* signifie «orfèvrerie» en espagnol. Sans avoir la pureté de la première Renaissance, il se caractérise par l'usage de médaillons décoratifs, une ornementation sobre et la classicité des ordres architecturaux.

En 1650, le baroque espagnol était en train de s'imposer dans toute l'architecture du Pérou. Le baroque colonial ne parvint jamais à maîtriser le jeu des volumes en mouvement qu'on associe au baroque européen. Au commencement, ce n'était qu'une variante très chargée du plateresque; mais, avec la reconstruction qui suivit le tremblement de terre, le baroque gagna en vitalité, sans cependant aller jusqu'aux excès flamboyants du baroque churrigueresque espagnol ou mexicain. Le plus bel exemple à Cuzco en est la tour du couvent de Santo Domingo, ornée de faisceaux de colonnes torses corinthiennes et de dômes entourés de pinacles. On notera que le portail en dessous est plus typique des débuts de la Renaissance. Ce mélange des genres dans un même édifice est caractéristique de la ville; un portail peut à lui seul comporter des éléments datant de différentes époques de la colonisation, sans parler des éléments incaïques. C'est pourquoi, il est très difficile de dater les monuments ou de les rattacher à un style. C'est ce qui fait la richesse de l'architecture cuzquénienne.

Il ne suffisait pas de construire des églises, il fallait encore les décorer et les meubler. Au cours du XVIIᵉ et du XVIIIᵉ siècles, Cuzco se tailla une solide réputation dans les arts décoratifs et sacré. Sous la direction des Espagnols, des maîtres artisans indigènes acquirent de nouvelles techni-

A gauche: la Vierge et l'Enfant, tableau anonyme du XVIIIe siècle, Musée d'Art sacré de Cuzco. Le «brocateado», c'est à dire la superposition à la peinture d'une fine trame de lignes et de motifs de poudre d'or, était une technique très utilisée par l'école de Cuzco.

A droite: portrait de l'évêque Mollinedo, Musée d'Art sacré de Cuzco. Il fut exécuté par un des chefs de file de l'école de Cuzco, Diego Quispe Tito.

ques: la peinture, la broderie, la sculpture de la pierre ou du bois, l'orfèvrerie et la facture des orgues.

La place d'Armes de Cuzco avait toujours été le cœur symbolique de l'Empire inca. Au fil des siècles, elle avait été le théâtre de batailles, d'exécutions, de manifestations laïques et de cérémonies religieuses. Pour les Espagnols aussi, son importance était énorme: sur deux des côtés, ils bâtirent trois grandes églises et plusieurs chapelles; des arcades et des maisons coloniales bordent les deux autres.

La bataille qui scella définitivement le destin de Cuzco eut lieu lors de la grande rébellion dirigée par Manco Inca. La ville fut assiégée, et ses défenseurs trouvèrent refuge dans l'ancien dépôt d'armes des Incas (Sunturhuasi) qui s'élevait à l'extrémité sud de la place moderne. Les pierres chauffées au rouge qui pleuvaient sur les toits de chaume embrasèrent la plus grande partie de la cité, mais épargnèrent le dépôt. Les insurgés furent finalemment écrasés. Cette victoire tenait du miracle: certains affirmaient que la Vierge Marie et les archanges avaient éteint les flammes. A moins que ce ne soient les esclaves noirs qui, grimpés sur les toits, les arrosaient d'eau. Pour commémorer leur victoire, les Espagnols érigèrent une cathédrale provisoire sur le site de Sunturhuasi. Elle fut reconstruite en 1730; c'est l'actuelle église du Triunfo (l'église du Triomphe). On peut y voir des tableaux du XVIIIe siècle, montrant les pompiers célestes en action.

La cathédrale, à gauche de cette église, occupe l'emplacement du palais de Viracocha. Le projet date de 1559; mais creuser des fondations aussi profondes dans un terrain marécageux se révéla difficile et retarda les travaux. Sa construction n'était pas achevée en 1650, lors du tremblement de terre qui l'endommagea quelque peu; et sa consécration n'eut lieu qu'en 1669. Le portail d'un style baroque exubérant est flanqué de deux tours massives et trapues. La nef principale, fraîche et sombre, est surmontée d'une grande voûte de pierre. Les chœurs plateresques illustrent à merveille les débuts de la sculpture sur bois. Les autres objets de curiosité sont les peintures coloniales, près da quatre cents, qui s'alignent sur les murs, les autels baroques, et divers tableaux et sculptures éparpillés dans les chapelles des nefs latérales. La petite chapelle à gauche de la cathédrale est celle de Jésus, María y José, bâtie en 1733. Un grand nombre des peintures de la cathédrale appartiennent à l'école de Cuzco, qui fleurit aux XVIe et XVIIe siècles. Ce courant, basé au Pérou, rayonna à travers tout le continent, jusqu'à Quito, Buenos Aires et Santiago. Certains des ateliers faisaient surtout des œuvres de commande, qui pouvaient représenter jusqu'à trois ou quatre grandes toiles par jour. Un des chefs de file en était le jésuite italien Bernardo Bitti, qui, formé lui-même à Rome, enseigna son art à des peintres et des artisans du cru.

Le nom de l'archevêque Mollinedo est également associé à l'histoire des beaux-arts. Venu d'Espagne en 1673, il amena des tableaux que copièrent les peintres indigènes, en y ajoutant souvent leur touche personnelle. Ainsi dans la *Cène*, qui se trouve dans la nef de la cathédrale, Jésus et ses apôtres sont attablés devant un plat de *cuy* (du cochon d'Inde), comme s'il s'agissait d'un banquet indien. Mollinedo fit construire de nouvelles églises et exécuter des œuvres d'art pour celles qui existaient déjà, faisant preuve d'un talent remarquable pour soutirer des riches les énormes sommes d'argent que cela exigeait. C'est largement grâce à lui que la vie artistique s'épanouit à la fin du XVIIe siècle, époque la plus créative et la plus productive dans l'histoire du Cuzco colonial.

Du côté sud-ouest de la place, la très belle église de la Compañia a été bâtie au XVIe siècle par la compagnie des Jésuites, ce qui lui vaut son nom. L'église et le monastère d'origine furent gravement endommagés par le

A gauche: la rue Canchipata; cette ruelle en escalier est typique du quartier nord de Cuzco.

A droite: la maison de l'Amiral; l'entrée, curieusement placée à un coin du bâtiment, est de style plateresque. Elle est décorée de rosettes et d'armoiries; la facture des murs de part et d'autre s'inspire de la maçonnerie inca. Dans le petit balcon, qui donne sur la place d'Armes, la colonne centrale représente un hermaphrodite dont les deux visages, comme ceux de Janus, regardent dans les deux directions. On raconte que l'amiral Maldonado faisait exécuter les Indiens qui levaient les yeux vers lui quand il se montrait à ce balcon. On le retrouva un jour mystérieusement pendu dans sa maison.

En haut: le patio de la Casa de la Torre, 211, place Nazarenas. Cette maison, intéressante mais laissée en l'état, est aujourd'hui occupée par de nombreuses familles.

Ci-contre: le monastère de San Francisco. La plus grande partie du cloître, qui présente deux élégantes galeries, a été construite avec les pierres des palais inca qui se trouvaient là.

215, rue Márquez: cour d'une maison coloniale, en assez bon état bien qu'elle n'ait pas été refaite.

Ci-contre, en haut: le cloître du monastère de la Merced, une oasis de tranquillité, au milieu du quartier affairé des commerces.

En bas: les pumas gravés dans la façade de la Casa de las Pumas. Cette maison fait partie des demeures coloniales, plus ou moins restaurées, qui bordent la rue Santa Teresa, depuis la place Regocijo.

séisme de 1650; les Jésuites décidèrent alors de reconstruire une église dont la splendeur rivaliserait avec celle de la cathédrale: vaste coupole, maître-autel baroque, ensemble très élégant des tours, remarquable portail central. On a effectivement du mal à départager ces deux chefs-d'œuvre. Lorsque le pape en personne décida de s'en mêler et d'ordonner aux Jésuites de cesser les travaux, ceux-ci étaient déjà terminés. En 1622, une décision papale fit du monastère une université; c'est aujourd'hui l'université de Cuzco. On notera particulièrement la façade dont l'ornementation n'a rien à envier à celle de sa voisine, et un cloître, en brique et en adobe sur un soubassement de pierre, caractéristique de l'architecture coloniale.

Plus que tout autre, le quartier nord de Cuzco, accroché au flanc de la colline de Sacsayhuaman, a conservé son caractère traditionnel: des rues étroites, souvent en escaliers, fréquemment piétonnières. La Calle del Almirante, qui part de la place d'Armes, à gauche de la cathédrale, est surplombée par la maison de l'Amiral. Dans cette maison, ou ploutôt ce palais, l'amiral Maldonado, maire et gouverneur de Cuzco, vécut à partir de 1629. Sérieusement abîmé par le séisme de 1650, l'édifice dut être reconstruit. Il comporte un vaste patio à colonnades. Le dernier vice-roi y résida de 1821-1823 jusqu'à la victoire finale des indépendantistes. Il fut à nouveau restauré après le tremblement de terre de 1950, pour devenir le musée d'Histoire régionale de Cuzco qui abrite aujourd'hui une belle collection de peintures religieuses de l'école cuzquénienne. A l'intérieur, on s'intéressera particulièrement au grand escalier, orné de statues d'animaux mythiques, et aux peintures des plafonds à caissons.

La place Nazarenas se trouve à quelques minutes de marche du palais de l'Amiral, dans la rue Tucuman. Cette petite place aux façades sobres portait, du temps des Incas, le nom d'Amarukjata («la Butte des serpents»). Pour sa taille, le nombre de bâtisses coloniales est considérable. Au coin de la rue Tucuman, se trouve la Casa de la Torre, construite par étapes aux XVIe et XVIIe siècles. Le devant de cette demeure, plutôt dépouillée, est rehaussé par les décorations plateresques du portail; la cour intérieure est entourée d'une double galerie d'arcades de style mudéjar. Cette maison, non restaurée, contraste étonnamment avec celle qui la jouxte, la Casa de Cabrera. Bâtie autour de deux vastes patios en enfilade, celle-ci vient d'être refaite par une compagnie bancaire; elle abrite maintenant une galerie de peinture privée et un musée archéologique où l'on peut voir plusieurs reproductions d'œuvres inca.

Le grand édifice au nord de la place est le couvent de las Nazarenas, appelé aussi la Casa de las Sierpes. Des serpents, symbolisant pour les Indiens la connaissance et l'intelligence, sont gravés sur les murs, rappelant que la «Maison du savoir» était jadis une école, où étaient éduqués les fils de l'aristocratie inca. Après la Conquête, elle fut attribuée au conquistador Mancio de Leguizamo qui se vantait de pouvoir retrouver le grand *punchao* du Coricancha... et le perdit aux dés la même nuit. En 1747, elle servit de couvent à l'ordre des Nazaréens déchaussés; en 1760, elle s'agrandit d'une chapelle et de différents bâtiments, et devint un monastère. L'intérieur, construit autour de sept patios, est très spacieux, mais les éléments les plus remarquables sont le campanile, d'une élégante simplicité, et le portail réalisé par des maçons indigènes au début de l'époque coloniale.

De l'autre côté de l'étroite ruelle des Sept-Couleuvres, se dresse le vieux séminaire de San Antonio Abad. Il s'ouvre sur la place par un porche réputé que surmonte une fenêtre ovale peu commune, sous laquelle on distingue les armes de l'évêque Mollinedo. La rue des Sept-Couleuvres, bordée par les beaux murs inca des deux monuments, passe sous un arc

A gauche: Couvent de Santa Catalina, détails des peintures murales de la salle capitulaire. Le thème de ces fresques, très colorées, est le contraste entre la vie vertueuse des saints et les plaisirs de ce monde. En haut, saint Jérôme s'impose la pénitence et célèbre la Divinité dans la nature qui l'environne.
En dessous, une bande de chasseurs se plaît à mutiler les créatures de Dieu.

En haut, à droite: le Baptême de Jésus, *une des nombreuses peintures religieuses du couvent de Santa Catalina. On l'attribue à Diego Quispe Tito, ou à l'un de ses élèves.*

En bas: la Statue de la Vierge portée lors de la procession de la fête-Dieu, *Musée d'Art sacré de Cuzco. Ce tableau de Diego Quispe Tito date du début du XVIII* siècle.*

Eglise de San Blas: la chaire. Par la profusion de ses motifs ornementaux, elle est le plus bel exemple de la sculpture baroque sur bois de Cuzco. L'église elle-même est sans grand intérêt; par contre, cette chaire, commandée par l'évêque Mollinedo, est un chef-d'œuvre. La Vierge Marie est entourée de sculptures tarabiscotées, presque rococo. En dessous, se trouve un groupe d'hérétiques et de blasphémateurs qui ne figure pas dans cette photo. Leurs visages crispés leur donnent l'air de peiner sous le poids de l'édifice.

très élevé, puis débouche dans la rue Choquechaca. Celle-ci compte plusieurs maisons coloniales, dont les façades et les portails ne manquent pas d'intérêt. Elle se poursuit par un escalier qui monte en pente raide jusqu'à un escarpement rocheux d'où on a un beau point de vue sur Cuzco. A en juger par les vestiges de maçonnerie incaïque, c'etait un lieu de cérémonies. Par contre, le joli aqueduc aux arches de pierre qui enjambe le Tullumayu est typiquement colonial.

Non loin de là, en direction au nord-ouest, l'église de San Cristóbal et Colcampata, aujourd'hui en ruine, ont également été édifiés sur une hauteur. Après l'échec de la rébellion de Manco Inca, son frère, Paullu Inca, s'installa dans ce palais. Son ardeur à collaborer avec l'occupant stupéfiait les Espagnols eux- mêmes: il n'hésita pas à se joindre à l'expédition montée par Gonzalo Pizarro pour écraser le royaume de Manco à Vilcabamba; il se convertit sans problème au christianisme, et bâtit une petite chapelle sur l'emplacement de l'actuelle église.

A la mort de Paullu, son fils, Carlos Inca, prit possession de Colcampata. Mais le vice-roi, Francisco de Toledo, était décidé à en finir avec les derniers privilèges des Incas; il expropria Carlos et fit de sa résidence une forteresse et une prison. Après sa défaite à Vilcabamba, Tupac Amaru y fit un bref séjour avant d'être exécuté. Plus tard, le roi d'Espagne rendit à Carlos sa concession. Celle-ci revint à son fils, Melchor, personnage pathétique qui mourut de neurasthénie en Espagne. Depuis Colcampata, on se rend facilement à pied à Sacsayhuaman. En redescendant, on peut faire un tour dans le quartier qui se situe entre Colcampata et la place d'Armes; un grand nombre de murs inca et de maisons coloniales décrépites y bordent d'étroites ruelles.

Le quartier ouest de Cuzco était peu bâti à l'arrivée des Espagnols. Cela leur permit de tracer des rues larges, plus pratiques pour leurs chevaux et leurs voitures à roues, et, malheureusement, pour nos véhicules automobiles.

Tout près de la place d'Armes, à l'ouest, la place Regocijo, petite mais pleine de charme, est à peu près tout ce qui reste de la Cusipata, l'ancienne «place de la Joie» des Incas. On sait peu de choses sur les bâtiments qui l'entouraient. Selon certaines sources, elle n'était environnée que de champs. Cela est peu vraisemblable, car on y trouve des vestiges, comme le soubassement et le grand portail du Cabildo, dont la finesse d'exécution, indique qu'il y avait là, du temps des Incas, un édifice important. Des arcades de style colonial ont été construites sur les murs incaïques, autour d'un patio agrémenté de fontaines. Ce monument imposant, qui occupe une bonne partie du côté nord-ouest de la place, était, du temps de la Colonie, le siège du gouvernement régional, le Conseil. Restauré au XIXe siècle, c'est aujourd'hui la préfecture de Cuzco.

Ci-contre: la grand-place de Checacupe et celle de Quiquijana, dans la haute vallée du Vilcanota. Ce sont deux exemples typiques de l'architecture coloniale simple et sans prétentions des villages de la région de Cuzco.

Within the image, the following inscriptions appear:

BENEDÌ
CAMVS PA
TREM, &FILÍ
VM, CVM SAN
CTQSPÍRITV

LAVDENT NOMEN DOMÍNI ÍN CHORO.

LAVDATE DEVM, IN CYMBALIS IVBILATIONIS

Andahuaylillas: les entrées respectives du clocher (a gauche) et de la sacristie. Les crédits alloués à leur restauration se sont épuisés avant que les travaux ne soient achevés, ce qui explique que leurs états de conservation soient si différents.

Non loin de là, la Casa Garcilaso, dans la rue du même nom qui part de l'angle sud de la place Regocijo, est sensée être la maison du conquistador Garcilaso de la Vega, un terrible bretteur. Il se peut qu'il ait habité là avec sa femme Isabelle, une princesse inca, mais sûrement pas dans cette demeure qui date de la fin du XVIIᵉ siècle. Le chroniqueur Garcilaso de la Vega, né en 1539, était leur fils. Avec sa mère, il apprit l'histoire et les traditions des Incas et, en grandissant, il devint un observateur minutieux des changements de son temps. A la mort de son père, à l'âge de vingt ans, il partit pour l'Espagne, où il demeura jusqu'à sa mort. Parvenu à la vieillesse, il commença à écrire ses *Commentaires royaux ou l'Histoire des Incas*, œuvre considérable qui resta pendant longtemps la principale source historique sur les Incas et la Conquête.

La Casa Garcilaso, entièrement rénovée, abrite aujourd'hui l'Institut national de la culture (INC). Juste en face, la Casa Jara est l'une des maisons coloniales les mieux conservées de Cuzco. Construite aux XVIIᵉ et XVIIIᵉ siècles par les descendants du conquistador Jara de la Cerda, c'est aujourd'hui une pension de famille. Par un porche, faits de blocs inca, surmonté d'un balcon en bois du XVIIᵉ siècle, on pénètre dans un charmant patio avec des arcs en pierre et en brique.

La rue Garcilaso mène à la place San Francisco; avant l'arrivée des Espagnols, il n'y avait à cet endroit que des terrasses de cultures. Elle doit son nom à l'église et au couvent des Franciscains, bâtisses massives à l'angle ouest de la place. Commencées en 1534, elles n'étaient pas achevées lors du séisme de 1650, et durent être reconstruites en grande partie. Au début du XXᵉ siècle, les moines enlevèrent tous les ornements superbes qui s'y trouvaient, ne laissant que la chaire et le chœur en bois de cèdre dont les sculptures magnifiques, œuvres d'artisans indigènes, datent de la seconde moitié du XVIIᵉ siècle.

Au nord-ouest de la place Regocijo, dans la rue Santa Teresa, l'église et le couvent de Santa Teresa reposent sur des fondations inca d'origine inconnue. Le couvent fut fondé en 1661; l'église ne fut achevée qu'en 1678. La décoration de l'église est largement due à l'évêque Mollinedo: il fit exécuter le retable, le tabernacle, l'ostensoir, le crucifix en argent et certaines peintures; son corps repose dans la crypte.

A l'ouest de cette église, de l'autre côté de la petite place de Silva, la maison Silva logea un moment le vice-roi Francisco de Toledo, à son arrivée à Cuzco, en 1571. Il se tenait au balcon quand on lui amena son prisonnier, Tupac Amaru, attaché avec des chaînes d'or. L'Indien refusa de s'incliner devant lui, et cette insolence lui valut d'être battu. Dans le portail, on notera les jambages faits de monolithes et les colonnes torses baroques; il est flanqué de murs inca, que l'on n'a pu identifier.

Au sud de la place d'Armes, dans le quartier des commerces, les principaux monuments sont l'église et le monastère de la Merced, tout de suite en descendant la rue Márquez. Les travaux commencèrent en 1536, deux ans seulement après que les Espagnols eurent entrepris de bâtir la ville coloniale. Les bâtiments actuels datent essentiellement de la fin du XVIIᵉ siècle: ceux d'origine furent rasés par le tremblement de terre de 1650. C'était un projet ambitieux; on le voit à l'escalier majestueux qui relie les deux cloîtres, décoré d'une immense fresque représentant l'arbre de vie. La Merced fut le siège de l'ordre de la Merci pour toute l'Amérique du Sud jusqu'en 1700.

Dans les deux vestibules, tout de suite à l'entrée, il y a d'intéressantes peintures, comme une bataille entre Indiens et conquistadors, où saint Jacques intervient de façon plutôt partiale. Dans les cryptes sous l'église, sont enterrés quelques rebelles espagnols, comme Diego de Almagro, son fils et Gonzalo Pizarro. Les murs de la nef, haute de plus de quinze mètres,

Huaro: Le Paradis et l'Enfer, *détail. Parmi les hôtes du chaudron, on distingue
un évêque, un cardinal et un moine; c'est une œuvre
très subversive pour une société où l'Eglise jouissait de pouvoirs quasiment illimités.*

sont couverts de nombreuses peintures qui, aujourd'hui, paraissent parfois un peu saugrenues. Un cloître à deux étages, entouré de colonnes corinthiennes de granit rose, enferme un jardin très vert et reposant. Des tableaux ornent les galeries du premier cloître, parmi lesquels une suite illustrant la vie du fondateur de l'ordre, San Pedro de Nolasco. A la sortie du cloître, un petit musée abrite un grand ostensoir d'or, datant de 1806, et quelques beaux tableaux dont un Rubens.

Non loin de la Merced, la résidence du marquis de Valleumbroso a été très endommagée, à la fois par le séisme de 1950 et l'incendie de 1973; elle n'a pas encore été complètement restaurée. Les ornementations du portail sont un bon exemple du métissage des styles: les jambages, inclinés et massifs, sont clairement le travail de maçons inca, vraisemblablement après la Conquête; il est flanqué de chaque côté par trois piliers, qui se répètent à l'étage supérieur. Entre les deux registres de piliers, un balcon est surmonté par les armes de la famille Valleumbroso.

Du temps des Incas, le quartier est de Cuzco était le vrai centre de la ville. On peut encore y voir les vestiges de quelques édifices publics. L'étroite ruelle Loreto, qui relie la place d'Armes au Coricancha, donne un bon aperçu de ce qu'étaient les rues avant les Espagnols. Elle est surplombée de chaque côté par de beaux murs de pierre inca: à droite, ceux du palais de Huayna Capac (aujourd'hui la Compañia); à gauche, ceux de la «maison des Vierges du Soleil» (l'actuel couvent de Santa Catalina).

Le couvent et l'église de Santa Catalina furent achevés juste après le séisme de 1650. L'ensemble des bâtiments comprend toujours un couvent, mais aussi un vaste musée dont l'entrée se trouve dans la rue Santa Catalina, parallèle à la rue Loreto. Ce musée expose une très belle collection d'œuvres sacrées, exécutées par des artistes indiens anonymes de Cuzco. Au rez-de-chaussée, une salle au plafond bas est décorée de fresques murales, hautes en couleur, opposant les plaisirs de ce monde à la vie ascétique des saints. Dans l'escalier monumental, une gigantesque tapisserie met en scène deux Espagnols en train d'abattre l'arbre de vie, allégorie qui laisse songeur.

En tournant à gauche, on s'engage dans la rue Santa Catalina Ancha; sur la droite, la maison Concha, imposante bâtisse, repose sur le soubassement de Pumamarca, le palais de Tupac Yupanqui. Pendant des générations, ce fut la demeure de la famille Cancha, dont faisait partie le dernier gouverneur de Cuzco avant l'Indépendance. C'est aujourd'hui la préfecture de police; aussi les visiteurs ne sont-ils pas vus d'un très bon œil.

La rue Pampa de Castillo, qui prolonge la rue Loreto, comporte également des murs inca, mais aussi des entrées de style métis hispano-incaïque. Cette rue aboutit à une esplanade, et à l'église et au monastère de Santo Domingo, édifiés sur les ruines du Coricancha. L'église date de 1681, mais certaines parties sont antérieures à 1650. Le tremblement de terre de 1950 a causé de sévères dégâts à l'édifice, mais a mis à nu des murs et des fondations inca, qui, avec d'autres vestiges du Coricancha, sont ce qu'il y a de plus remarquable, même si l'église elle-même ne manque pas d'intérêt.

Immédiatement au nord de l'église de Santo Domingo, rue San Agustín, on peut faire le tour de la maison des Quatre-Bustes, transformée en hôtel. A quelques pâtés de maisons, en direction du nord-ouest, derrière l'église du Triunfo, l'Archevêché était autrefois la maison de Valverde, conquistador et évêque. Le palais d'Inca Roca, jadis sur cet emplacement, a été démantelé par des chercheurs d'or, puis utilisé comme carrière; seules les grandes enceintes sont encore debout. Un coup d'œil à ce bâtiment, qui comprend également le musée d'Art sacré, donne une idée du luxe dans lequel vivaient les hauts dignitaires de l'Eglise du temps de la Colonie.

Huaro, détail des peintures murales dont la Mort est le thème central: Ici, elle surgit de dessous un lit, et se prépare à saisir un prêtre par la soutane.

Huaro, entrée du clocher: au-dessus de la porte, des diables soumettent des pécheurs au supplice de la roue. A l'origine, les murs étaient couverts de fresques jusqu'en bas; mais ils furent badigeonnés à la chaux au XIXᵉ siècle, pour ne pas troubler les moines dans leur méditation.

A deux pâtés de maisons de l'Archevêché, au nord-ouest, l'église San Blas offre le meilleur exemple de la sculpture sur bois baroque de Cuzco. L'église elle-même n'est pas d'une grande beauté, mais la profusion des motifs de la chaire, commandée par l'évêque Mollinedo, font de celle-ci un chef-d'œuvre. Le détail le plus frappant est le groupe des six hérétiques et blasphémateurs de la base, qui semblent supporter tout l'édifice et grimacer sous l'effort.

Huaro et Andahuaylillas

Dans toutes les villes et tous les villages autour de Cuzco, on peut voir des maisons, des ponts et des églises de l'époque coloniale, souvent très délabrés. Mais deux églises, celles d'Andahuaylillas et de Huaro, villages au sud de Cuzco, près de Pikillacta, se détachent du lot. Les églises elles-mêmes sont sans intérêt, mais, à l'intérieur, les peintures murales sont inoubliables: leur représentation de la Mort et des tourments de l'enfer permettent de pénétrer dans les mentalités religieuses de la fin du XVIIIe siècle et de réaliser l'impact du christianisme sur les Indiens, Tadeo Escalante, artiste indigène formé à Cuzco, en est vraisemblablement l'auteur.

L'intérieur de l'église d'Andahuaylillas, avec son autel baroque massif et recouvert d'argent, sa chaire sculptée, son plafond mudéjar et les six grands tableaux de la nef, montre que le village était jadis prospère. L'orgue est décoré d'anges peints, aujourd'hui très défraîchis, et presque tous les murs sont ornés de fresques. Au fond de l'église, on peut voir le Paradis et l'Enfer d'Escalante. Comme c'est souvent le cas, c'est l'enfer, où un énorme monstre dévore les méchants et où des squelettes se pavanent ici et là, qui captive le plus l'attention.

Les fresques de Huaro sont plus nombreuses et d'une fraîcheur inégalée. Leurs thèmes obsessionnels troublent l'esprit. Huaro était depuis toujours un haut lieu de la sorcellerie; peut-être ces peintures étaient-elles destinées à «civiliser» les autochtones en les terrifiant. Au fond de l'église, à droite, la représentation de l'enfer s'inspire certainement des chambres de tortures des inquisiteurs espagnols. Détail remarquable, les trois bour-

Ci-contre: l'église de Huaro: vue sur la galerie où se trouve l'orgue.
Une déposition de croix est peinte sur le mur de droite;
c'est une des scènes les moins angoissantes de cette église. Les confessionnaux, peints en bleu,
datent de la fin de l'époque coloniale. Les toiles, en haut du mur,
sont en si mauvais état qu'il est presque impossible de dire ce qu'elles représentent.

reaux qui tuèrent en 1780 le chef des rebelles, Gabriel Tupac Amaru, ont eux-même à endurer des supplices effrayants, ce qui laisse supposer qu'Escalante était partisan du soulèvement. En face, d'autres peintures représentent la maison d'un pauvre, un banquet chez un riche, auquel participent de jeunes amoureux, la Résurrection et le Jugement dernier; la Mort est un thème récurrent dans toutes ces scènes. Ces fresques sont en mauvais état de conservation, et le plâtre s'écaille sous l'effet de l'humidité. Des travaux de restauration avaient été entrepris, mais ont dû s'arrêter faute d'argent.

Presque mille ans se sont écoulés depuis que Manco Inca décida que Cuzco serait la capitale des Incas. Au fil des siècles, la ville a été bâtie, détruite, et rebâtie plus d'une fois. Alors qu'elle va bientôt célébrer ses deux mille ans d'existence, construction et démolition se poursuivent fébrilement. Et le XXe siècle risque de détruire le Cuzco colonial, comme les Espagnols détruisirent le Cuzco Inca. Une grande partie des édifices coloniaux a été endommagée par le séisme de 1950; beaucoup ont été rasés, non pas parce qu'ils ne pouvaient être réhabilités, mais à cause des crédits alloués à la reconstruction. Ils ont été remplacés par des bâtiments modernes en béton. Dans les faubourgs, de grands espaces se couvrent de lotissements anarchiques, de brique et de tôle ondulée. Le plan de reconstruction de 1951 qui prévoyait, sans s'inquiéter, un périphérique d'où partaient des avenues en direction de la place d'Armes, a heureusement été abandonné. En autres calamités, il envisageait la construction de villes nouvelles à Machu Picchu, Pisac et Ollantaytambo.

La destruction a été un thème constant de ce livre. Le voyageur qui visite Cuzco et les sites inca des environs ne peut que constater la dégradation constante de l'environnement et du patrimoine culturel, due à l'ignorance, la pauvreté, ou l'appât du gain. Il y a peu de gens qui, péruviens ou non, luttent contre ce courant, mais il y en a. Une chose est certaine: sans le tourisme, toutes ces merveilles auraient encore moins de chances d'être préservées et restaurées. Le tourisme est toujours une arme à double tranchant; s'il met en lumière les tensions sociales et les injustices, il crée aussi des richesses, et évite que les problèmes ne tombent dans l'oubli.

Renseignements
pratiques

COMMENT PREPARER VOTRE VOYAGE

La saison

La saison des pluies dure de novembre à avril. Les pluies sont torrentielles et les routes boueuses; par contre, les touristes sont moins nombreux, les prix plus bas, les hôtels moins fréquentés et les collines verdoyantes. La meilleure époque (mais c'est la plus courue) se situe en mai ou juin: vous pourrez profiter du soleil, de la pureté des ciels, et d'une nature encore verte. Essayez de faire coïncider votre séjour avec une des fêtes (voir plus loin).

Les papiers

Les ressortissants de la plupart des pays, y compris la France, reçoivent à leur arrivée une autorisation de séjour valable pour 30, 60 ou 90 jours. Obtenir une prolongation est souvent fastidieux.

Les assurances

Choisissez une bonne police d'assurance qui couvre à la fois les risques du séjour (les pickpockets et autres voleurs sont nombreux, mais en général non-violents), et ceux du voyage lui-même: les départs sont souvent annulés sur les vols internationaux.

Le budget

La vie au Pérou est bon marché; il est difficile de citer des chiffres précis vu l'inflation rampante. Il vaut mieux emporter des dollars US en billets (petites coupures) et en chèques de voyage. Vous pourrez utiliser votre carte de crédit pour régler les billets d'avion, les notes d'hôtels (à vérifier) et dans certains magasins. Si vos moyens sont limités, vous pourrez vous en sortir pour 100 dollars par mois; mais on peut aussi dépenser la même somme en une seule journée.

Les précautions sanitaires

Nous vous conseillons de vous faire vacciner contre la typhoïde et l'hépatite virale, et de vous faire faire des rappels pour la polio et le tétanos. Si vous allez au cœur de l'Amazonie, n'oubliez pas de vous faire vacciner aussi contre la fièvre jaune et d'emporter des médicaments contre le paludisme. Ce n'est pas nécessaire si vous allez seulement à Machu Picchu. Prévoyez une trousse de secours, avec quelques médicaments usuels, y compris de la crème solaire et des antidiarrhéiques. Si vous avez des problèmes cardiaques ou pulmonaires, mieux vaut éviter les hautes altitudes de Cuzco et des environs. Une assurance médicale, incluant le rapatriement si nécessaire, est vivement recommandée.

Les vêtements et l'équipement

Le climat de Cuzco est changeant. Les nuits sont froides, avec des gelées en juin, juillet et août; les journées sont souvent chaudes, et le soleil peut être violent. Pendant la saison des pluies, les pluies diluviennes sont entrecoupées d'éclaircies; mais il peut pleuvoir à n'importe quelle époque de l'année. Emportez une garde-robe assez variée, sans oublier un imperméable. Si vous compter parcourir le «chemin des Incas» ou d'autres sentiers, prévoyez un équipement de randonnée. Les variations climatiques sont plus importantes en altitude; il faut un bon sac de couchage, une tente, des bottes et des habits imperméables... mais aussi un short. Vous pourrez louer du matériel à Cuzco, mais vous ne trouverez pas forcément ce que vous voulez.

Les voyages organisés

Plusieurs agences de voyages parisiennes proposent des tours complets du Pérou et diverses formules. Par exemple:

America Tours (Africa Tours)	Tél. 40594141
Uniclam Voyages	Tél. 43291236
Nouvelles Frontières	Tél. 42731064
Akiou (appel gratuit)	Tél. 05030609
El Condor	Tél. 43209046
El Condor	Tél. 45332121
Auberges de la Jeunesse	Tél. 45486984
Amistour	Tél. 48745959
Animatour	Tél. 43562600
Nouveau Monde	Tél. 43294040
Club Aventure	Tél. 46342260
Jets Tours	Tél. 47420692
Terres d'Aventures	Tél. 43299450
Croisières Paquet	Tél. 42665759
Kuoni Voyages	Tél. 42857122
Carnet de Voyage	Tél. 42663939

COMMENT VOUS RENDRE A CUZCO

LES DEPLACEMENTS A L'INTERIEUR DU PAYS

En avion

Il n'y a pas de vol direct pour Cuzco; le mieux est d'atterrir à Lima, puis de prendre une ligne intérieure.
Les compagnies aériennes Aeroperú et Faucett assurent un vol quotidien à partir de Lima et d'Arequipa, et un vol hebdomadaire depuis Juliaca; la Lloyd Aereo Bolivia deux vols par semaine à partir de La Paz. Tous les avions pour les cordillères décollent de bon matin pour éviter les turbulences. Les compagnies préfèrent les règlements en espèces et en dollars. Le tarif pour les étrangers est au moins le double de ce que payent les Péruviens. A cause de la dévaluation, il faut marchander pour payer par carte bancaire, et certaines agences essayent alors d'ajouter un supplément. Les chèques de voyage posent encore plus de problèmes: seules les agences de la Faucett les prennent à leur valeur nominale. Les retards, annulations et problèmes techniques sont fréquents sur toutes les lignes; mais il vaut quand même mieux prendre l'avion que l'autocar. En pleine saison, confirmez votre réservation plutôt deux fois qu'une, et soyez en avance à l'aéroport.

En autocar

Des autocars relient Cuzco à Puno, Juliaca, Arequipa, Lima, La Paz etc. Les tarifs sont très bas. Mais les trajets sont longs, sans confort et ponctués d'arrêts fréquents, surtout en saison des pluies. La traversée des zones de guérilla, comme les départements d'Ayacucho et d'Apurimac, n'est pas sans danger.

En train

Des trains font chaque jour l'aller et retour entre Cuzco et Puno, Arequipa et Juliaca. Ils partent de bon matin et arrivent dans la soirée ou la nuit. Vous pourrez acheter votre billet dans une agence de voyages ou à la gare, la veille de votre départ; vérifiez les horaires. Le voyage en première ou en deuxième classe est très bon marché, mais ne garantit pas contre le vol. La classe touriste est plus onéreuse, mais chaque voiture est surveillée par un gardien armé. Ces trains arrivent à la gare de Huanchac, dans la banlieu sud-est de Cuzco.

En voiture

Vous pouvez louer une voiture, mais nous ne vous le conseillons pas. Les contrôles de l'armée et de la police, les pannes, la rareté des stations d'essence font partie des divers aléas. Si vous y tenez vraiment, ne prennez qu'une voiture à quatre roues motrices, surtout en saison des pluies.

Les différents moyens de transport dans la région de Cuzco sont le train, l'autocar, le camion, le taxi et les minibus pour touristes. Tous les transports publics sont bon marché, surtout les camions qui sont les seuls à aller partout. Les taxis sont plus ou moins chers: le prix de la course en dehors de Cuzco peut aller de 20 à 50 dollars par jour; il vaut mieux le négocier avant de partir. En ville même, les tarifs sont peu élevés. Beaucoup d'endroits sont accessibles par l'autocar; il y a des gares routières tout autour de la ville. Renseignez-vous à l'Office du tourisme.

Machu Picchu

Le seul moyen d'aller à Machu Picchu est le train, à moins qu'on ne préfère faire le chemin à pied. Les visiteurs sont maintenant obligés d'acheter un billet groupé, comprenant le trajet en train et l'accès au site (environ 70 dollars), à moins de prendre le train à Ollantaytambo. Les trains pour Ollantaytambo et Machu Picchu partent de la gare Santa Ana, au sud-ouest de la place d'Armes, dans la rue Márquez-Santa Clara.

Les excursions au sud de Cuzco

L'éventail des possibilités est très large. Préférez les taxis ou les autocars aux trains, qui sont lents, rares et peu fiables. Les départs ont lieu toute la journée devant la gare de Huanchac.

Les visites guidées

Deux formules existent déjà: Cuzco, Sacsayhuaman, Quenqo, Tambo Machay, Puca Pucara, ou la Vallée sacrée, de Pisac à Ollantaytambo, et Chinchero. D'autres sont en préparation: région sud du département du Cuzco, vallée du Lares. Vous trouverez toutes les informations nécessaires à l'Office du tourisme, qui contrôle les prix. Toutefois, ces excursions ne peuvent convenir que comme une entrée en matière, ou pour des touristes pressés par le temps. En dehors du «chemin des Incas», très fréquenté, qui va à Machu Picchu, il y a plusieurs randonnées possibles en montagne, à proximité de Cuzco. Plusieurs agences de voyages en organisent, avec guides, porteurs et tout l'équipement nécessaire, y compris la nourriture. La Tambo Treks (tél. 237718) est sérieuse et efficace.

La forêt vierge

A partir de Cuzco, vous pourrez facilement vous rendre dans la forêt équatoriale de l'Amazonie: Puerto Maldonado, où l'on trouve le plus de comodités, est à une demi-heure de vol, au pied des Andes. Au milieu du parc naturel de Tambopata (5500 hectares), l'auberge des Explorateurs est le lieu de séjour idéal. Il suffit de vous renseigner et de réserver dans la plupart des agences de voyages, ou au bureau des Safaris du Pérou, place San Francisco (tél. Cuzco 313047; télex 20416 Pesafari, Lima).

QUELQUES INFORMATIONS UTILES

Les descentes de rivières

Vous pourrez descendre le Vilcanota en radeau jusqu'à Pisac; c'est une des distractions que proposent la plupart des agences de voyages. Vous vous amuserez beaucoup et pourrez visiter les ruines de Pisac à l'arrivée.

Les randonnées à cheval

Les chevaux ne manquent pas dans la campagne autour de Cuzco. On peut en louer à la journée soit dans les agences de voyages, soit directement à leurs propriétaires.
Les meilleurs parcours vont d'Ollantaytambo aux environs de Pumamarca, et de Sacsayhuaman à Tambo Machay à travers les vallées verdoyantes. Le prix minimum est d'environ 5 dollars par jour.

LE GITE ET LE COUVERT

Les hôtels

Cuzco compte de nombreux hôtels de toutes catégories. De l'étranger, on ne peut retenir une chambre que dans les plus chers. De juin à août, il vaut mieux réserver. Parmi les hôtels de première catégorie, nous mentionnerons *El Libertador*, rue San Agustín (tél. 2319, le *Colonial Palace*, rue Qera (tél. 232151), *Los Marqueses*, rue Garcilaso (tél. 232512) et le *Royal Inca*, place Regocijo (tél. 222284), tous dans de belles bâtisses coloniales. Leurs tarifs varient de 10 à 70 dollars la nuit. Il en existe de moins chers, à partir de 0,5 dollar la nuit.
En dehors de Cuzco, on trouve facilement à se loger, mais avec un minimum de confort, sauf à Ollantaytambo où *El Albergue* près de la gare, est un lieu de séjour agréable.
A Machu Picchu, il y a des hôtels, très modestes, à Aguas Calientes, et un hôtel, géré par l'Etat, sur le site même, où l'on peut réserver par les agences de voyages de Cuzco et de Lima.

Les restaurants et les night-clubs

Il y a beaucoup de restaurants à Cuzco, et on peut y déguster des pizzas, de la cuisine internationale ou chinoise (*chifa*). Les repas sont bon marché, surtout dans les petits restaurants populaires ou *picanterías*; vous en trouverez d'excellents rue Macurco. Si l'endroit vous semble propre et s'il compte des clients péruviens, n'hésitez pas à entrer. Evitez cependant les légumes crus. Le *Café Ayllu*, sur la place d'Armes, qui ne sert que des boissons et des collations, mérite une mention spéciale.
Plusieurs bars et discothèques sont ouverts jusqu'à l'aube; on peut quelquefois y écouter de la musique des Andes. Le *Crossed Keys*, près de l'angle est de la place d'Armes, est un «pub» très convivial, de même que le *Bilboquet*, rue Herrajes, qui fait aussi crêperie.

Renseignements

L'Office du tourisme se trouve à l'angle est de la place d'Armes, au-dessous du commissariat de police pour les touristes (113, Portal de Belén). Plusieurs librairies vendent des livres sur le Pérou, ainsi que des cartes; *Los Andes*, au nord-ouest de la place d'Armes (125, Portal Commercio), en a un bon choix. L'Institut de recherches sur les Incas (tél. 221703) pourra vous conseiller si vous désirez vous rendre dans des endroits plus reculés, et vous fournir des plans précis de la plupart des sites; ses services sont payants.

Monnaie et change

A l'époque où se livre a été écrit, la monnaie péruvienne était l'inti (I/) et valait 1000 soles (la précédente unité). Les cours du change et les prix varient d'un jour à l'autre. Changer de l'argent dans la rue ou dans les *Casas de Cambio* (bureaux de change) est légal et, en général, sans risques; les taux sont meilleurs qu'à la banque s'il s'agit d'espèces, mais plus bas pour les chèques. C'est aussi plus rapide: l'opération peut durer une heure à la *Banco de Crédito* (189, Avenida Sol), la seule banque à changer les chèques de voyage à Cuzco, au moment de notre séjour. En dehors de Cuzco, ceux-ci sont difficiles à changer, de même que les grosses coupures (de dollars ou d'intis).

Santé

Beaucoup de touristes souffrent de diarrhées, à un moment ou à un autre. Si cela vous arrive, mettez-vous au régime et buvez abondamment. La plupart sont aussi victimes, dans les premiers jours, du *soroche*, le mal des montagnes, au-dessus de 3000 mètres: il provoque des étourdissements et des difficultées respiratoires. Une infusion de maté et de feuilles de coca peut produire de bons effets. Vous pourrez vous procurer des médicaments en pharmacie, si vous présentez des symptômes plus graves. Il n'est pas forcément nécessaire de consulter un médecin, mais il faut prendre des précautions. En cas d'accident grave, il vaut mieux se faire rapatrier plutôt que se faire soigner sur place. Vous trouverez des répertoires de médecins et de cliniques dans les hôtels.

Heure

Elle retarde de 5 heures sur celle du méridien de Greenwich.

Police et douanes

En général, la police n'inquiète pas les touristes, mais il vaut mieux avoir toujours sur soi son passeport ou une photocopie certifiée conforme. Des drogues, comme la marijuana ou la cocaïne, sont en vente; mais en acheter peut vous valoir un long séjour dans des prisons, en comparaison desquelles Alcatraz vous semblerait un hôtel de luxe. Emporter des antiquités en sortant du pays tombe aussi sous le coup de la loi.

Musées et sites archéologiques

Un seul billet permet de visiter la plupart des musées
et des sites dans Cuzco et ses environs, ainsi que dans la Vallée
sacrée; il coûte 10 dollars et il est valable 5 jours. L'accès
au «chemin des Incas» coûte également 10 dollars; on peut
prendre son billet au départ de la randonnée; mais il faut
prendre un billet supplémentaire pour Machu Picchu
(10 dollars). Les horaires sont variables, mais la plupart
des lieux de visite sont ouverts de 9 h 30 à 18 h; les musées
sont souvent fermés de 12 h 30 à 14 h 30. Il y a rarement
de gardiens dans les sites moins fréquentés, par exemple
au sud de Cuzco.

Achats

Cuzco est une ville réputée pour ses fabrications
artisanales, comme les *chompas* (tricots), les *mantas* (petites
couvertures de laine) ou les ponchos; les plus beaux sont en
laine d'alpaga. Il y a aussi de jolis bijoux d'argent pour
des prix modiques. Votre principal problème sera de ramener
tous vos trésors sans avoir d'excédent de bagages. Evitez
les magasins de la place d'Armes: ils sont chers. Les vendeurs
sous les arcades de la place d'Armes et de la place Regocijo
proposent de meilleurs prix. Et vous trouverez encore
moins cher au grand marché de Cuzco, près de la gare
ferroviaire Santa Ana, dans la partie réservée aux artisans.
Les marchés qui se tiennent le dimanche à Chinchero
et à Pisac pratiquent les mêmes prix que Cuzco. C'est
au moment des fêtes, quand toute la place d'Armes est
couverte de tréteaux, que l'on peut faire les meilleures
affaires. Partout le marchandage est de règle.

Blanchisseries

Il n'y a pas de laveries automatiques à Cuzco, mais
plusieurs blanchisseries près de la place d'Armes, qui font
le travail en quelques heures. Les tarifs dépendent du poids.

Photos

N'oubliez pas d'emporter un filtre anti-ultra-violets, car
la lumière du soleil est intense. On trouve des pellicules
sur place, mais elles sont souvent de mauvaise qualité
ou périmées. Les Péruviens n'aiment pas toujours
qu'on les photographe; il vaut mieux s'assurer de leur
consentement avant de le faire, et leur donner ensuite
une petite rétribution (*propina*).

Vols

Soyez prudent, si vous voulez profiter de votre séjour
à Cuzco. Mettez votre argent, vos papiers et vos billets
d'avion dans des poches ou des portefeuilles inaccessibles.
Evitez les bourses portées à la cinture, qui ne posent pas
de problèmes aux pickpockets.

Electricité

Le courant est de 220 volts et 60 ampères; les prises ont
deux fiches et sont rondes ou plates.

Téléphone et télex

De Cuzco, on peut téléphoner dans n'importe quel pays,
soit chez des particuliers, soit dans les bureaux de l'ENTEL
(382, Avenida Sol). On paye les communications au nombre
d'unités (minimum: 3 minutes), ou avec des jetons (*fichas*)
qu'on peut acheter sur place. Les communications urbaines
sont très bon marché, mais les communications longue
distance ou à l'étranger peuvent coûter cher. Si vous voulez
envoyer un télex, vous pouvez le faire à l'ENTEL, ou bien
d'un hôtel ou d'un bureau.

Poste

La poste centrale de Cuzco se trouve Avenida Sol, à l'angle
de l'Avenida Garcilaso. Elle est souvent à court de timbres,
il faut alors faire affranchir son courrier au guichet.
La poste restante n'est pas très sûre. On peut expédier
des colis (344, Calle Teatro) jusqu'à 2 kg sans payer de taxes;
il faut les emballer dans un tissu que l'on fermera
par une couture. Les paquets plus volumineux ne peuvent être
envoyés qu'à partir de la douane (*aduana*). Il semble
que les envois arrivent à bon port.

CALENDRIER DES FETES

Ceci n'est pas une liste exhaustive: chaque village a sa propre fête patronale. Nous nous contentons d'indiquer ici les principales manifestations.

Jour de l'An	1er janvier	Cuzco
Jour des Rois	6 janvier	Ollantaytambo
Fête de saint Hilaire	14 janvier	Pampamarca
Fête de saint Sébastien	20 janvier	San Sebastián
Semaine sainte	la semaine avant Pâques	célébrée partout
Procession du «Christ des Tremblements de terre»	Lundi saint	Cuzco
Fête-Dieu (Corpus Christi)	mi-juin	Cuzco
Festival de musique Viracocha	16-22 juin	Raqchi
Pèlerinage du Christ de Qoylloriti	18-19 juin	haute vallée du Vilcanota
Inti Raymi (fête du Soleil)	24 juin	Sacsayhuaman
Fête de la Vierge du Carmel	16 juillet	Paucartambo
Fête de saint Laurent	10 août	Checacupe
Fête de saint Barthélémy	14 août	Tiobamba
Fête du village	15 août	Calca
Huarachicoy	dernier jour d'août	Sacsayhuaman
Pèlerinage de Huanca	14 septembre	Huanca
Toussaint	1er novembre	Cuzco
Fête de la Vierge du Rosaire	4 novembre	Combapata
Nuit de Noël	24 décembre	Cuzco
Noël	25 décembre	Yucay

QUELQUES ADRESSES

American Express, c/o Lima Tours, 561, Avenida Sol
Compañia de Aviación Faucett, 567, Avenida Sol. Tél. 233541
Aeroperú, Avenida Sol/Calle Matara. Tél. 233051
Lloyd Aero Boliviano, 384, Avenida Sol. Tél. 222990
Carte VISA, Banco de Crédito, 189, Avenida Sol.
MasterCard, c/o Hirca Tours, 230, Calle Garcilaso de la Vega. Tél. 227051
Office du tourisme, et commissariat de police des touristes, 113, Portal de Belén. Tél. 221961
Ambassade de France, Avenida Arequipa/San Isidro, C.C. 607 Lima. Tél. 704968
Ambassade du Pérou en France, 50, Avenue Kléber. 75016 Paris. Tél. 47043453
Office National du Tourisme du Pérou, 1, rue Lord Byron. 75008 Paris. Tél. 42251004

UN PEU D'HISTOIRE

Période «pré-agricole»

30000 av. J.-C.	Date des premières traces humaines (discutées) sur le continent américain.
15000 av. J.-C.	Des groupes humains occupent des grottes près d'Ayacucho (Pérou).
12000 av. J.-C.	Date des armes de chasse en pierre découvertes près de Lima.
10000 av. J.-C.	Les glaciers se retirent des hautes vallées des Andes.

Période «pré-céramique»

8000 av. J.-C.	Des chasseurs s'installent dans des grottes des Andes. Présence de peintures rupestres et d'outils de pierre taillée.
5000 av. J.-C.	Débuts de l'agriculture sur le littoral et dans les montagnes. Premiers établissements sédentaires le long du Pacifique.

«Formatif moyen»

4000 av. J.-C.	Culture du maïs; céramiques et tissus. Apparition de villages autour d'édifices à fonction cérémonielle. Naissance de la stratification sociale et d'un culte religieux.
1200 av. J.-C.	Expansion de la culture Chavín dans les Andes du Nord, et de celle de Paracas sur la côte sud. Edification de vastes complexes religieux, comme celui de Chavín de Huantar. Progrès dans le travail de la pierre et du métal.

«Formatif supérieur»

300 av. J.-C.	Déclin de Chavín. Diversification des cultures régionales. Débuts de l'irrigation; maîtrise de la poterie et du tissage, surtout autour de Paracas. Avènement de différentes cultures autour du lac Titicaca, dont celle de Tiwanaku.

Les cultures classiques

100 apr. J.-C.	Développement de cultures indépendantes dans diverses régions. Période des «maîtres artisans», surtout des potiers de Moche et de Nazca. Age d'or de Tiwanaku.
800 apr. J.-C.	Naissance de la culture de Wari, près d'Ayacucho, très influencée par celle de Tiwanaku, maintenant en plein déclin.
1000	Eclatement des empires de Tiwanaku et de Wari en plusieurs petits états locaux.

L'Empire inca

1000-1200	Manco Capac, premier Inca, fonde l'empire à Cuzco.
1438	Pachacutec, neuvième Inca, entreprend la conquête du Pérou. Reconstruction de Cuzco et de Sacsayhuaman.
1471	Tupac Yupanqui, dizième Inca, conquiert la plus grande partie de l'actuel Pérou, l'Equateur, la Bolivie, la moitié du Chili et, en partie, l'Argentine et la Colombie.
1492	Christophe Colomb découvre l'Amérique.
1493	Huayna Capac devient onzième Inca.
1519	Cortés soumet les Aztèques au Mexique.
1521	L'aventurier portugais, Aleixo de García, est le premier Européen à fouler du pied la terre des Incas.
1522	Les Espagnols commencent à explorer les côtes péruviennes.
1525	Une mystérieuse épidémie ravage le Tahuantinsuyu. Mort de Huayna Capac et avènement de Huascar, douzième Inca.
1529	Francisco Pizarro obtient une «lettre de capitulation» et se lance à la conquête du Pérou.

La Conquête

1532	Atahualpa évince Huascar et devient treizième Inca.
mai 1532	Francisco Pizarro et les conquistadors débarquent à Tumbes.
nov. 1532	Atahualpa est fait prisonnier à Cajamarca.
juil. 1533	Les Incas payent la rançon d'Atahualpa (une pleine salle d'or). Exécution d'Atahualpa.
nov. 1533	Pizarro entre dans Cuzco.
déc. 1533	Sacre de Manco Inca, souverain fantoche.
23 mars 1533	Pizarro fonde la ville espagnole de Cuzco.
6 janv. 1535	Pizarro crée la nouvelle capitale, Lima.
mai 1536	Soulèvement général des Indiens dirigé par Manco Inca; incendie de Cuzco. Les Espagnols reconquièrent Sacsayhuaman.
avr. 1537	Diego de Almagro s'empare de Cuzco. Début de la guerre civile.
juil. 1537	Diego de Almagro met Paullu Inca sur le trône. Manco Inca se retire dans la cordillère du Vilcabamba et fonde un royaume indépendant.
avr. 1538	Défaite d'Almagro à Las Salinas. Il est exécuté.
juil. 1539	Ecrasement du soulèvement indien. Prise de Vilcabamba.
nov. 1539	Exécution de chefs indigènes à Yucay. Francisco Pizarro s'empare de Cura Occlo, l'épouse de Manco Inca, et la fait exécuter.

124

1541	Assassinat à Lima de Francisco Pizarro par d'anciens partisans d'Almagro.
1542	Le roi d'Espagne promulgue les «Nouvelles lois des Indes» pour limiter le pouvoir des conquistadors.
juin/juil. 1544	Assassinat de Manco Inca par des hors-la-loi espagnols.
oct. 1544	Prise de Lima par les rebelles menés par Gonzalo Pizarro.
av. 1548	Défaite et exécution de Gonzalo Pizarro.
oct. 1557	Poussé par les Espagnols, Inca Sayri Tupac quitte Vilcabamba pour Cuzco. Son frère, Titu Cusi, prend la tête de la résistance.
nov. 1569	Arrivée à Lima du vice-roi, Francisco de Toledo.
mai 1571	Mort de Titu Cusi à Vilcabamba. Túpac Amaru, un noble inca, continue la lutte.
juin 1572	Destruction de Vilcabamba par les troupes du vice-roi.
sept. 1572	Exécution à Cuzco de Tupac Amaru, dernier chef authentique des Incas. L'exploitation, les épidémies (variole, rougeole, grippe) ont décimé la population.

L'époque coloniale

1650	Le tremblement de terre détruit une bonne partie du Cuzco colonial; les bâtiments inca restent debout. Débuts de la reconstruction.
XVIIe siècle	Epanouissement de l'école de peinture de Cuzco.
nov. 1673	Arrivée à Cuzco de l'évêque Mollinedo qui encourage la peinture et les arts décoratifs d'inspiration religieuse.
XVIIIe siècle	Cuzco devient un des principaux foyers artistiques.
1742-1750	Les rébellions indiennes sont matées; sanglantes représailles dans les campagnes.
1780	Echec d'une nouvelle révolte indigène et mort de Tupac Amaru. Les représailles continuent.
1814	Les colons espagnols commencent à s'insurger contre la tutelle du roi d'Espagne.

L'Indépendance

1821	San Martin proclame l'indépendance du Pérou. Le vice-roi se retire à Cuzco qui redevient, pour peu de temps, la capitale.
1824	Les batailles de Junín et d'Ayacucho mettent fin à la domination espagnole; ce qui ne change pas grand chose pour la plupart des habitants.

1824-1890	Années d'instabilité permanente. Après le «boom du guano» qui dure quarante ans, lui du nitrate provoque la guerre du Pacifique avec le Chili, qui grève le Trésor du Pérou et lui coûte une partie de son territoire.
1890	La Peruvian Corporation essaie de restaurer l'économie. Période de relative prospérité, pour l'élite au pouvoir.
juil. 1911	L'archéologue américaine, Hiram Bingham, découvre les ruines de Machu Picchu.
août 1911	Il découvre les sites de Vitcos et d'Espíritu Pampa.
1919	Les révoltes indigènes et la grève générale reflètent les conditions de vie misérable des masses populaires. Le gouvernement accentue la répression pour empêcher l'agitation de s'étendre.
1924	Fondation de l'APRA (l'Alliance populaire révolutionnaire américaine).
1932	L'insurrection organisée par l'APRA est écrasée, et suivie d'une répression atroce.
1940-1941	Une expédition américaine découvre le «chemin des Incas», Huiñay Huayna et Intipata.
1950	A Cuzco, un violent tremblement de terre détruit une bonne partie des constructions coloniales.
1964-1965	Un archéologue américain, Gene Savoy, identifie Espíritu Pampa comme étant Vilcabamba, le dernier bastion des Incas.
1968	Coup d'état des militaires qui forment un gouvernement de progrès. Le général Velasco entreprend des changements (réforme agraire et autres), qui ne durèrent pas.
1980	Les guérilleros du Sentier lumineux entament la lutte armée dans le département d'Ayacucho.
1985	Alan García, premier président élu de l'APRA, échoue dans ses tentatives de réformes. Crise économiques, inflation galopante, dégradation des conditions de vie. Les attaques du Sentier lumineux et la répression gouvernementale bouleversent une grande partie du pays. Les actes de barbarie se multiplient des deux côtés.
1988	Les principaux partis de droite fusionnent. Le célèbre écrivain, Vargas Llosa semble le candidat de droite le mieux placé pour les élections présidentielles. Le taux d'inflation est de 2000%.
1989	La guerre civile s'intensifie dans beaucoup de départements; celui du Cuzco reste, dans l'ensemble, calme. La crise économique s'accentue, et Alan García est largement impopulaire.
avr. 1990	Election du président Alberto Fusjmori.

POUR EN SAVOIR PLUS

Sur le Pérou

C. Collin-Delavaud, *Le Pérou*, Paris, Seuil, coll. «Petite Planète», 1976.

O. Dollfus, *Le Pérou*, Paris, PUF, coll. «Que sais-je?», 1983.

Sur les Incas

L. Baudin, *La vie quotidienne au temps des Incas*, Paris, Hachette, 1955.

H. Favre, *Les Incas*, Paris, PUF, coll. «Que sais-je?», 1973.
Ce livre est un excellent résumé des connaissances actuelles sur la civilisation inca.

Garcilaso de la Vega, *Commentaire royaux sur le Pérou des Incas*, Paris, La Découverte, 1982, 3 voll.

A. Métraux, *Les Incas*, Paris, Seuil, coll. «Points-Histoire», 1983.
C'est sans doute l'une des meilleures introductions à l'étude des sociétés péruviennes.

Sur la conquête

G. Baudot, *La vie quotidienne de l'Amérique espagnole de Philippe II*, Paris, Hachette, 1981.

J. Descola, *La vie quotidienne au Pérou au temps des Espagnols, 1710-1820*, Paris, Hachette, 1962.

J. Hemming, *La Conquête des Incas*, Paris, Stock, 1971.
Cet ouvrage, agréable à lire, fait le point sur ce que nous savons de la conquête espagnole.

W. Prescott, *Histoire de la conquête du Pérou*, Londres 1847, traduction française 1863.
Une des premières histoires de la Conquête, c'est une œuvre magistrale.

Sur l'art et les recherches archéologiques

J. Alden Mason, *The Ancient Civilizations of Peru*, Londres, Pelican Books, 1968.
Ce livre décrit non seulement la civilisation inca, mais aussi et surtout les cultures plus anciennes qui l'ont précédée.

Sir Clements Markham, *The Incas of Peru*, Lima, Librerias ABC, 1977, 1ère éd. 1910.
Une série d'essais fascinants sur l'histoire du Pérou, des cultures précolombiennes (principalement inca) jusqu'à la Conquête.

Hiram Bingham, *La fabuleuse découverte de la Cité Perdue des Incas*, Paris, Pygmalion-Gérard Watelet, 1990.
Le récit palpitant de la découverte de Machu Picchu par le célèbre archéologue américain.

D. Lavallée, L.G. Lumbreras, *Les Andes, de la préhistoire aux Incas*, Paris, Gallimard, coll. «L'univers des formes», 1985.
Ce très beau livre, outre les reproductions d'objets d'art et de monuments inca, comporte les plans de plusieurs sites archéologiques.

Quelques guides

Pérou, Genève, Nagel, coll. «Encyclopédies de voyage», 1983.

Pérou. La Paz, Paris, Hachette, coll. «Les guides bleus», 1988.

Pérou. Bolivie. Equateur, Paris, Hachette, coll. «Le guide du routard», 1990-1991.

Peter Frost, *Exploring Cuzco*, Angleterre, Bradt Enterprises; Pérou, Lima 2000, 1989. Guide de poche, sans doute le plus complet sur la région du Cuzco.

Rob Rachowieki, *Peru-A Travel Survival Kit*, Australie & Californie, Lonely Planet Publications, 1987.

John Forrest, *The Budget Traveller's Guide to Peru*, 64 Belsize Park, London NW3.
Ce petit livre, publié à compte d'auteur, est plein de renseignements pratiques et mis à jour chaque année.

Cuzco - Guía Turística, Lima 2000, 1988.
Guide de poche dont les cartes sont le seul intérêt.

Plans et cartes: Institut des Recherches sur les Incas de Cuzco,
redessinés par John Hewitt

Crédits photographiques: Francesco Venturi sauf page
51 en haut et page 61 en bas à gauche, par James Tickell

La réalisation de cette édition a été confiée
au Gruppo Editoriale Fabbri S.p.A., Milan
sous la direction éditoriale d'Anna Maria Mascheroni

Maquette: Barbara Ravera

Traduction: Janine Jay

Photocomposition: Art, Bologne
Photogravure: Gruppo Editoriale Fabbri S.p.A., Milan
Imprimé en Italie par Gruppo Editoriale Fabbri S.p.A., Milan

ISBN 2-86535-111-4

DATE DE RETOUR

19 NOV. '92			
6 JUIN '03			